AZZEDINE ALAÏA

Le prince des lignes

DU MÊME AUTEUR

L'Année de la mode 87-88, La Manufacture, 1988.
L'Année de la mode 88-89, La Manufacture, 1990.
Les Chinois, Autrement, 1997.
Issey Miyake, Assouline, 1997.
Madame Grès, Assouline, 1999.
Le pantalon *ou le XXe en marche*, Vilo, 1999, Grand Prix du livre de mode.
Marie Laure de Noailles, *la vicomtesse du bizarre*, Grasset, 2001.
Yves Saint Laurent, *naissance d'une légende*, photographies de Pierre Boulat, La Martinière, 2002.
Yves Saint Laurent, nouvelle édition revue et augmentée, Grasset, 2002.
Jacques Helleu & Chanel, La Martinière, 2005.
Requiem pour Yves Saint Laurent, Grasset, 2010.
Le plus bel âge, *rencontres avec des octogénaires affranchis*, Grasset, 2013.

LAURENCE BENAÏM

AZZEDINE ALAÏA

Le prince des lignes

BERNARD GRASSET
PARIS

ISBN : 978-2-246-81055-1

© 2013, Éditions Grasset & Fasquelle.

« Ce genre de héros ne part jamais, ou, s'il part, c'est avec lui-même, qui ne change pas. Nous tous, Français et indigènes d'Afrique du Nord, restons ainsi ce que nous sommes, aux prises avec des contradictions qui ensanglantent aujourd'hui nos villes et dont nous ne triompherons pas en les fuyant, mais en les vivant jusqu'au bout. »

Albert Camus, préface de
La Statue de sel d'Albert Memmi.

« Ce pays disparu, où se rejoignent mystérieusement les blasons de la terre natale et les parfums de rose et d'encens du vieil Orient (cet éternel Orient qui vit en chacun de nous), est l'exil de nos cœurs. »

Daniel Rondeau, *Carthage.*

J'ai écrit sur un homme dont chaque apparition était comptée. Qu'on attendait, sans savoir s'il viendrait, et qui avait dû donner moins de six grandes interviews dans sa vie. C'est peu, par rapport à ses quarante-cinq ans de carrière. Il s'appelait Yves Saint Laurent. J'étais à chaque fois frappée par sa taille que ni l'alcool, ni les drogues, n'avaient jamais réussi vraiment à faire plier. Moi, j'étais plus tordue que ses cobras, dans cette maison de couture où les bouteilles en plastique n'existaient pas. Il fallait toujours être annoncé, avant de monter à pas de velours l'escalier rouge. Le 5 avenue Marceau était un théâtre de joie, de larmes et de papier de soie, où les rouges étaient plus rouges qu'ailleurs, les bleus plus verts, les silences plus lourds, les rêves prenaient forme au bord de l'hystérie et de la mort que chaque saison excitait. Le temps d'Yves Saint Laurent était celui des instants extrêmes, entre panique et euphorie, extase et descente. Celui d'Azzedine Alaïa ne semble pas avoir de début ni de fin, pareil au TGM (Tunis, La Goulette, Marsa), il file dans la lumière, tout simplement, sans samedis, sans dimanches, sans vacances. C'est une conversation qui s'arrête et reprend comme si elle n'avait jamais dû s'interrompre. Ce sont les contes des *Mille et Une Nuits* que lui racontait son grand-père sans les avoir lus. C'est la voix de miel de Safia Chamia qui chante et rechante *Haouel ya ghanem Haouel*, et cette façon si orientale de raconter le passé au présent : « Je ne laisse jamais le public s'ennuyer. Je lui donne tout. » C'est un temps infini et familier, c'est son tout en un, c'est Paris, un fief de cinq mille mètres carrés, à la fois siège de l'entreprise, boutique au

rez-de-chaussée, studio de création au premier, appartement au dernier étage, où il vit
et travaille, dans le Marais, avec ses huit chats,
ses trois chiens, dont le plus gros, Didine, un
saint-bernard, dort sur un matelas posé par
terre, dans la cuisine, sous la machine à tran-
cher le jambon, une rouge et rutilante Berkel
de collection. La rue de Moussy prolonge la
rue des Mauvais-Garçons. Le 7 est une vaste
réserve naturelle, un champ clos où les graines
semées de saison en saison produisent des
fruits rares et chers que le monde s'arrache.
Pourquoi parler quand on peut se taire ? dit
un proverbe arabe. Pourquoi bouger quand
la terre entière vient à vous, répond en
silence Azzedine Alaïa qui tient table ouverte
tous les jours dans sa cuisine. Au téléphone,
il aime répondre à un ami en lui disant
« Allô, là je suis à Zanzibar, je viens de
quitter Honolulu... »

Son histoire est celle d'un passionné qui
rêvait de comprendre l'énigme de Balenciaga

en faisant des « robes qui se tiennent », plus droites que le Y de son patronyme Alaya, une tour Eiffel à l'envers, et qui deviendrait un beau jour un I tréma, colonne vertébrale d'une œuvre à venir. La flèche invisible qui le mena, instinctivement, le jour de son arrivée à Paris, de l'aéroport d'Orly à l'Etoile.

Il est l'Afrique qui a regardé l'Europe, l'Europe qui s'est éprise des sortilèges de l'Orient. Il a un double passeport, tunisien et français. A ceux qui l'observent, il laisse la douceur et l'éclat d'un pays qu'il a quitté sans jamais cesser de lui appartenir, loin des mouches rôdant autour des carcasses, des gâteaux en pyramide et de l'odeur mêlée du jasmin et des *bomboloni*, le vert de la sauge et le rouge des géraniums et des baisers qui font des marques sur les joues des enfants. Loin et si près des mots de Manou Bia, sa grand-mère maternelle, dont les bras lui servaient d'oreiller : « Si tu rencontres un président ou un roi, fais toujours preuve de respect, mais ne sois jamais impressionné. »

Noir khôl, la saison Alaïa, officiellement inaugurée en 1979, s'étire imperturbable, au-dessus de l'été et de l'hiver, comme elle défie, assurée et fière, tous les égarements d'une mode perdue dans ses transferts, les up & down de ses directeurs artistiques condamnés à n'être plus que des animateurs de la planète globale, de Paris à Milan, de New York à Shanghai et Rio. A.A. comme deux initiales prémonitoires, deux paires de ciseaux dans l'espace et le temps dont il a fait son territoire absolu, lui le fils du désert et de l'éternité. Loin des grands shows retransmis sur Internet, il organise des pré-sentations privées, sans photographes et sans carton d'invitation. De l'imprévu, du décalé, il a fait un rituel, aussi attendu que sa ligne se précise chaque saison, dans une quête d'idéal sans fin.

Mais que fait ici cet énorme colosse d'avalanches qui passe et repasse d'un lieu à l'autre, se couche parfois en travers et se redresse d'un bond ? C'est Didine, donc. Fourrure ondulée, pelage acajou et neige, oreilles noires, il est aussi inoffensif qu'imposant, cent kilos dont la présence se résume à son territoire. Deux peluches blanches courent partout. S'agrippent aux invités. Il s'agit de Waka Waka et Hanouar, deux chiens maltais respectivement offerts par Shakira et Naomi Campbell. Seuls les intimes arrivent à les différencier, sous leur choucroute immaculée. Le premier est paraît-il plus peureux. Moi, je n'ai jamais eu de chance avec les chiens des couturiers. Un des Moujik d'Yves Saint Laurent a mangé les bandes de mon magnétophone. Un autre m'a mordue au mollet. C'était rue de Babylone et j'entends la voix d'Yves Saint Laurent me dire, sarcastique, « Moujik déteste les femmes en pantalon ». Etait-ce Waka Waka ou Hanouar ?

Un après-midi, l'un d'eux a pissé sur mon trench APC. Bienvenue.

Je décidai de ne plus rien laisser traîner, sauf mes yeux.

Leur père, leur frère, leur oncle, leur tout, c'est lui. A.A. L'enfant sans âge. Le nomade sédentaire. L'épicurien rigoriste. Celui que Michel Cressole, le « premier journaliste[1] », définissait comme « le plus discret des grands couturiers, parce qu'il est le dernier, peut-être » à redonner vie au corps de la mode. Qu'il se tienne là, silencieux comme son grand-père paternel « qui savait l'heure en regardant le soleil », ou volubile, imitant une vieille toquée, ou un marchand de tissus des souks de son enfance, il tire des fils invisibles. En lui résonnent les bruissements de l'humanité, les rires des enfants, en lui rayonnent les regards venus de tous les ailleurs. Aucune offense, aucune particule ne descellera jamais le fils d'Ismaël Ben Alaya, agriculteur tunisien, de son royal observatoire. « A force de descendre de la cuisse de Jupiter, vous allez finir par atteindre les sous-sols. Tandis que moi, je monte d'un paysan et ne cesse de m'élever », lance-t-il à tous les bourgeois qui oseraient se prendre pour les aristos avec lesquels finalement il parle le même langage. Celui de l'attitude. Changer une découpe pour trouver un nouveau volume, affiner un corps à force de diminutions et de calculs entièrement cachés dans les quilles d'une robe plissée de haut en bas... Le métier se nourrit d'exigence : « Je veux faire des vêtements qui restent beaux » (*op. cit.*). Lui, « le petit homme qu'aimaient les femmes », un « Tunisien miniature qui a peuplé les rues de créatures de rêves[2] », demeure fidèle à ses préceptes de départ, travaillant ses coupes pour tout remettre à plat. « Faire des prototypes qui ont un sens. »

Les mains jetées en arrière de Silvana Mangano dans *Riz amer* quand elle danse, pieds nus, les *zapateados* explosifs de Carmen Amaya – dont il regarde les vidéos en boucle –, ses *alegrias* de castagnettes d'ivoire, c'est comme s'il en avait scanné les rythmes, la fougue, la rigueur. Louise de Vilmorin lui trouvait des yeux « en forme d'escarpin ». Les reines qu'il admire font trembler la terre, torse bombé, tête haute, femmes des trois mémoires, la juive, la musulmane et la gitane dont le flamenco andalou exacerbe en saccades les tourments de l'exil. Azzedine comme Aziz, le bien-aimé. Adjaj, le tourbillon et l'ouragan, le reclus sur un tabouret volant. Il dessine peu. Colle dans un cahier secret ses croquis sur papier calque pour garder « l'idée ». Ses robes sont des capteurs d'énergie, leur force suprême est de faire corps avec celles qui les portent, sans jamais perdre leur tenue. Sa signature se concentre autant qu'elle s'épanouit, d'un simple body de jersey noir à un fourreau aux quarante mètres de bandes enroulées.

Couturier body liner, Azzedine Alaïa redéfinit la silhouette au fil d'une histoire affranchie de toutes les saisons. Cuir noir, popeline blanche, ce Tunisois du terroir, du « fond de la jarre » comme on dit à Tunis, trace et sculpte, obsessions en tête. Et celles-ci deviennent des images fixes, tracées à l'encre permanente. Au point que lorsque Ari Folman, dans son film *Le Congrès* (2013), fait apparaître une Robin Wright en icône d'un paradis virtuel, c'est bien Grace Jones, en robe Alaïa, qui la sort de son coma numérique. Fondu enchaîné mauve qui nous téléporte dans les années quatre-vingt, l'espace d'un songe. Azzedine Alaïa serait-il l'ensorceleur ? De son travail émane quelque chose de singulièrement extrême, austèrement érotique. Pas d'effets, ni de fioritures. Les paillettes de Safia Gamal ne brillent que sur l'écran d'un vieux poste abandonné. Rien d'orientaliste dans ses références. Tout se passe comme si les sequins des babouches s'étaient depuis longtemps évaporés. S'il a gardé ses souvenirs « intacts », l'homme, auquel nulle *dagazza* n'avait prédit l'avenir, n'éprouve ni mélancolie, ni regrets. Azzedine Alaïa sculpte des mouvements. Des voix. Toutes les voix des femmes, celle d'Arletty en tête, « ce mélange de la rue et d'une élégance de reine ». L'empreinte d'un rythme. « La secousse », comme il dit à propos d'une héroïne qui l'inspire, Beyoncé en tête, la *caliente* de *Run The World* : « Elle me donne des secousses. » C'est tout ce qui, comme dans un vertige, l'appelle. Une fille nerveuse comme un cheval de course. Un fauteuil de Kuramata, *How High the Moon* (1986), dont la structure en maille d'acier semble en lévitation au-dessus du sol. Le design organique de Marc Newson, sa chaise longue *Embryo*, ou encore sa *Wicker Chair* (1990), comme sculptée dans du rotin, qui évoque à sa manière une Vénus assise. C'est le fauteuil sans fin De Sede, installé dans l'une des trois

19

suites attenantes à sa boutique de la rue de
Moussy. La morphologie d'un instant dont
il fait une robe. Une énigme en marche, dans
le sillage des gouaches et des totems de
Gaston Chaissac qu'il collectionne : « J'aime
les feuilles quand elles remuent », affirmait
cet autodidacte. Pour Azzedine Alaïa, l'art
obéit au même frémissement intérieur.
L'important est d'abord et avant tout « que
ça tourne autour du corps, de profil et de
dos ». De la nuque à la naissance d'une
jambe, il recompose une leçon magistrale sur
le corps dont il a fait sa page blanche, son
tableau noir.

Il aime à dire que l'une de ses idoles, la
Pompadour, aurait vécu rue de Moussy :
cette rue du XIIIe siècle, qui porte le nom
d'un habitant échevin de 1530, a été effec-
tivement habitée par le seigneur Poisson,
père de la marquise… Invariablement vêtu
d'un costume chinois (il en posséderait trois
cents), A.A. a bâti son royaume au cœur

d'un quartier d'hommes, où les femmes sont plus adorées que désirées. Tout se passe comme si ce royaume les aspirait de l'intérieur, nulle ne s'attarde devant ces murs sans vitrine. Celles qui entrent ici ne fréquentent pas ces rues où, une fois les Chinois des ateliers partis, des hordes de garçons en cuir surgissent aux terrasses des bars, probablement sanglés dans ces strings achetés en face aux « Dessous d'Apollon ». Les clientes viennent de Londres, d'Almaty ou de Neuilly pour se laisser tracer à neuf, s'inventer une autre vie. S'offrir une surveillance rapprochée. Garder le contrôle. De l'autre côté des grilles noires, sécuriser cette jeunesse qui s'échappe de tous les côtés, contrer ces mois, ces jours, qui s'acharnent à les trahir, à les faire douter, trébucher. Repartir, sirènes de velours, éternelles Melpomène et Clio, muses de la Tragédie et de l'Histoire, reines d'une nuit antique sans fin. « Des vêtements qui obligent les femmes à se soigner », avait dit un jour ce thérapeute de l'allure. Ce maître d'un maintien sans prothèse.

Etrangement, elles savent que du haut de ces sandales de karung au talon de 22 centimètres, elles domineront le monde, comme un chef masaï contrôlant un fief, aussi altières que les Néréides drapées de soie, chevauchant les monstres marins. Fusion acquisition. Devant elles, des statues en Plexiglas cuirassées de maille s'offrent, le buste tendu, à tous les regards, sans jamais déchoir. Epouses, favorites, toutes se frôlent en s'ignorant. Les voici, plus fières que les rapaces migrateurs des montagnes de Kroumirie, aigles bottés, plus rares que les oryx et les addax, plus majestueuses que les vipères de sable du Sud Sahara, qui ne laissent dépasser que leurs yeux pour surprendre une proie. Sur les billards reconvertis en présentoirs par Julian Schnabel, les ceintures cages se dressent, comme des fétiches vaudous. Découpés, ajourés, ces corsets à boucle de métal évoquent les cages à oiseaux de Sidi Bou Saïd, dont on sait qu'elles n'ont jamais servi à enfermer des vertébrés ovipares. Ne sont-elles pas avant tout des porte-bonheur ?

Cinq lettres majuscules et noires sur un fond en kraft épais couleur de Sahara. Des sacs, toujours des sacs. Des sacs pour des boîtes, des boîtes qu'on a envie de garder pour la vie, en carton ébène ceinturé d'une boucle d'argent, au cas où... La rue de Moussy est la rue des livreurs, des chauffeurs et des gardes du corps. Installées à l'arrière de la limousine, les clientes repartent, comme tendues de l'intérieur. Lorsque je vois l'une d'entre elles aller décrocher un fourreau noir, qu'elle fera glisser sur sa peau nue, abandonnant ses jodhpurs dune et ses mocassins Gucci à mors pour des sandales serpent, une image surgit entre toutes, Catherine Deneuve dans *Belle de Jour*. Le petit trench créé par Yves Saint Laurent est ici une redingote de grain de poudre ou de jean armuré à manches raglan. Oui, le 7 rue de Moussy est un monde à part, où toutes, d'Emma Bovary à Séverine Serizy, viennent tout simplement chercher les munitions de l'amour. L'amour pour partir à la guerre, s'emparer d'une place forte, lancer des embuscades. Avec des jambes plus longues que des fusils de chasse. Des robes de bure en jersey gris canon. Des jupes qui font irrémédiablement la fesse haute. Parce qu'une jupe bien coupée, dit-il, ça sauve un derrière. Dans ces pantalons aux jambes affinées par des lignes de poinçons, ces caleçons lances, ces décolletés en arc, et ces encolures en poignard, je devine une main de fer. A comme Amazones, dont l'immigré qui diffuse *J'suis snob* de Boris Vian en bande-son de ses défilés, a capté l'âme fière.

Chez lui, les soldes (ne concernant, à quelques exceptions près, que des pièces de saisons passées) ne durent que quelques jours… Il fait plus de trente-cinq degrés à l'extérieur, mais les clientes savent que l'hiver 2014 est déjà arrivé. Gilets en macramé noir, petits soirs de velours rouge caroubier, redingotes en poulain au fini « écailles », longue jupe sévillane du soir comme une tour sans fin aux neuf étages de volants plissés, la saison nouvelle se dresse sur ses somptueux bottillons de croco émeraude à talon obélisque. A côté, l'été 2013 se tient sur un unique portant, toujours radieux, mais un peu répudié quand même, derniers beaux jours que ventilent les chemises de baptiste brodé, les blouses de soie plume pistache. La ruche s'affaire. Au fond de la boutique, une porte donne accès au showroom, où là, des dizaines d'acheteurs font groupe autour de trois stèles blanches, sur lesquelles s'alignent les souliers de l'été 2014. Salomé à talon de Plexiglas, empeignes de sandales en forme de serpents enlacés et cloutés, oh merveille de boules martelées de cuivre, ou de cabochons de corail. Ce sont des poissons précieux, cothurnes royales faites pour fouler les jardins d'Hamilcar, un soir de lune. « C'est par des nuits pareilles que le passé et le présent se déversent l'un dans l'autre. Ô étoiles. Par des nuits pareilles, sur les remparts humides, dans les renverses du temps, il y a des rêves qui flottent… » (*Carthage*, Daniel Rondeau). Une directrice de boutique hésite, s'échauffe, prendra-t-elle le cabas en python perforé ou le sac seau en cuir miel ? « Ah, peut-être qu'on voit à l'intérieur, non ? »

Azzedine Alaïa, dont chaque sac à main est lesté d'un miroir en forme d'œil, est là, omniprésent, même à l'intérieur de ces robes, où tout se joue. La structure. La tenue. L'invisible tension. Rien ne sort sans être emballé dans du papier de soie chair, avec cette attention extrême réservée aux biens les plus précieux. Je voudrais garder les boules froissées à l'intérieur des souliers, les plissés accordéon glissés dans les manches de cette chemise blanche pour ne pas qu'elle se froisse. Je me fonds dans cette jupe noire, j'enfile ce « top » zippé dans le dos pareil à une cuirasse souple, un haubert de maille finement surpiqué, comme les autres, je découvre en moi une autre, prête au combat.

Après Poiret, Chanel a offert la liberté aux femmes, Dior leur a transmis dans ses robes un « idéal de bonheur civilisé ». Si Yves Saint Laurent leur a donné le pouvoir, Azzedine Alaïa leur a rendu l'intelligence et l'honneur du corps. La fierté de leurs courbes enfouies, après des années d'over-size et d'unisexe. Cette force de l'instinct dont il a fait un vestiaire, en supprimant les pinces tout en resserrant la taille. En leur prouvant que c'est « lorsque rien n'est tenu » que le corps « lâche ». Lui, l'anatomiste des saisons. Un redresseur de temps. Un chirurgien de l'allure.

Ce qu'il n'a pas cherché du côté de la puissance, il l'a trouvé dans la vérité, l'âme d'un corps qui est son langage et sa foi. Instinctivement, il déjoue les pièges, conciliant la tradition d'un savoir-faire avec l'instinct inné du temps. Il ne tweete pas, n'a jamais utilisé d'ordinateur. En abolissant des privilèges, il en a restitué d'autres, rendu à la rue son aristocratique maintien, et fait tomber un à un, les chapeaux, les broches, les pois, les toques fleurs, les capelines et tous les faux-semblants de la couture. Mélangé tous les mondes en un, à la manière du maître de maison qu'il est, recevant chez lui, à la même table, stars du rock, arpettes, amis et artistes. Un rituel si parisien, qu'un journaliste américain, ayant entendu parler de ce lieu décidément si hors du commun, évoqua la présence d'un piano dans la cuisine : las, il s'agissait du piano de cuisson, avec six feux et un four à vapeur, la star des gourmets.

Les intimes entrent chez Azzedine Alaïa par la cour, rue de la Verrerie. La cour des secrets, avec la petite boutique « outlet » que les clientes connaissent bien, où certains modèles anciens sont proposés à prix plus doux. Ici on ne pousse pas les portes, elles s'ouvrent à l'envers ou se ferment pour toujours. Je passe par l'office, direction la cuisine, où je déjeune pour la troisième fois cette semaine. La table est mise, Nicolas le chef s'affaire, il est toujours en train de préparer le service d'après, le dîner du soir, les dix poulets rôtissent, pendant que les tronçons de cabillaud sortent d'un autre four, et le ballet se met en route. Concombres émincés, carottes râpées, servies sur de longs plats en Inox, comme sur les photos de *La Cuisine pour tous* de Ginette Mathiot, darnes de cabillaud et dés de tomates concassées aux herbes, sur une purée *passée* à la main, fraises et gâteau au chocolat maison. J'aime ce contraste entre les verres ballon Arcopal, le côté « entrée plat du jour dessert » et la qualité extrême des produits, bars, turbots, soles de ligne, livrés chaque jour comme à l'Elysée par la Sablaise, la poissonnerie de la rue Cler. C'est là que tout commence. Que tout se démarque. Loin des mousses prétentieuses, des verrines décoratives et des terrines arborées servies par un maître d'hôtel en chemise noire dans la salle à manger privée d'un CEO, avec café gourmand et macarons couleur de shampoing, le luxe se savoure ici sans façon. Une baguette de pain croustillante. Du poisson. De l'huile d'olive première pression de Toscane ou des Baux-de-Provence. Un pouilly fuissé domaine des Fines Caillottes 2011. Le fameux coucou de Rennes et la côte de bœuf de Monsieur Gardil, le boucher de l'île Saint-Louis. Du thé et de l'attention.

Cet ancien entrepôt du BHV est l'antre d'un Orient parisien où tout se sait, de part et d'autre des murs épais, des portants envahis de robes, de ce temps qui semble ne devoir jamais finir. Parce qu'une conversation se nourrit de l'autre, avec des histoires dont à chaque fois un invité dit « Mais il faudrait vraiment les écrire ! ». Mon souci c'est d'être là, de se laisser glisser, absorber, et dévorer un à un chaque moment, chaque histoire, peu à peu la table se remplit, Hedi, assistant du studio, Mushi Mushi, Pudding, Pipelette, Montassar le cousin, fils de l'oncle d'Azzedine, Caroline, le bras droit, Fatima, la première Flou, Olivier, l'attaché de presse, la DRH, qu'Azzedine Alaïa appelle « la directrice des sources », et parfois « DHL » ; je regarde Mira, avec ses cheveux noir violet et sa blouse mauve, qui pose le bol de harissa (« ça, tu ne touches pas, c'est trop piquant », me dit Azzedine Alaïa). Après le déjeuner, qui ne dure pas plus d'une heure, je sais qu'il y retournera. Comme absorbé, passionnément guidé par toutes ces robes, les anciennes, les nouvelles, les futures, qu'il ne cesse de revoir, de reprendre, de construire, à l'orée de la grande exposition, la première en France, que lui consacre le palais Galliera pour sa réouverture, à l'automne 2013. Une rétrospective dont Olivier Saillard, nouveau directeur du musée, aura été l'artisan en chef, guidé par sa passion pour ce créateur hors normes... Près de soixante-dix robes, auxquelles s'ajoutent celles présentées dans la salle Matisse du musée d'Art moderne de la ville de Paris, situé en face du palais Galliera. Du ciré de 1981 aux broderies d'œillets métalliques, à l'ensemble en perles d'or pour Tina Turner, les modèles se tiennent sans faillir, unis par un regard qui ne les lâche pas. Les fauves, l'Afrique, les laçages (1985), les lanières (1991), le jacquard (1992), l'encyclopédie ne sera jamais assez spacieuse pour contenir tous les coups de foudre qu'il a rendus possibles. Sabliers noirs, animaux de conte, Victoire de cuir, les voici, tels les protagonistes d'un bal immobile, où l'instinct a raison de la particule. Il dit qu'une robe réussie est une robe qui « vibre ». D'où

cette puissance d'un corps aristocratique-
ment exalté, et que mettent en valeur ces
découpes, ces ondulations anatomiques
signées par ce prince des lignes.

Qu'apprendre chez lui sinon le fait qu'il
faut apprendre tous les jours ? A.A. est
l'aristocrate artisan d'une histoire sans
dates… Son talent aimante des rencontres,
complice de deux artistes designers dont
il collectionne les œuvres, Martin Szekely
– scénographe de la rétrospective de Galliera – et Marc Newson. Rue de Moussy, une
robe de reine de la nuit à l'ampleur majestueuse, révèle sous des pans entièrement
brodés, une structure à panier noire. Présence magistrale, encore en devenir, criblée
d'épingles…

Le compte à rebours a commencé. Le
canapé de Pierre Paulin est une tache rouge
sous la lumière zénithale. Le showroom
s'est transformé en une véritable salle d'opération. Deux assistants l'entourent. A l'aide

d'une règle souple qu'il pose sur le corps d'un mannequin de Plexiglas, Azzedine Alaïa trace des lignes au marqueur noir, efface le millimètre qui dépasse, tamponne des points de suture invisibles, recommence, pendant que des modèles surgis d'une boîte de carton attendent, dans le silence de cet après-midi de canicule. Des housses de coton caramel surgissent d'étranges créatures, tels ces blousons de crocodile miel prêts à fondre sur leur proie. Bords vifs, écailles géantes et mates. L'animalité que réduit parfois la couture à un pur décor, explose ici dans sa sauvage sophistication. Le col est rabattu à même. Sans doublure. Sans couture. La gloire se mesure à ces instants extrêmes, cette façon, comme le dit Christophe, son complice depuis cinquante ans, « d'engager ses mains, son regard, d'une manière absolue, totale ».

A.A. pourrait bien être celui qui dit et qui redit aux femmes, comme Bresson dans *Les*

Dames du bois de Boulogne : « Tenez, vous parlerez après. » A.A. comme un Abécédaire Anatomique : les ceintures corsets, le body, la redingote, le Perfecto de python, enrichissent un vestiaire irréductible à une mode, la plus imitée et la plus incopiable. L'œil sur tout, dans ce palais où il règne, au plus près d'un métier dont il connaît tous les secrets, une ruche où s'activent soixante-dix personnes, autant dire une famille. Lui, l'un des derniers à pouvoir mettre au point un patron, à dessiner sur la toile les formes pour en faire des volumes dans la quintessence d'une attitude faite femme.

Azzedine a oublié sa date de naissance, mais pas les semaines qui l'ont suivie, quarante jours, le temps que sa mère, mariée à un agriculteur de Siliana – à cent vingt kilomètres de Tunis –, le confie à sa grand-mère. Celle qui ouvrit à l'enfant des terrasses les portes du temps : « Monte sur les toits, regarde et imagine. » J'ai recousu tous les morceaux de vie d'histoires racontées, de déjeuners, de dîners, de rencontres, de moments volés. L'idée n'était pas de faire une biographie, mais de laisser le présent qui dure en lui se déployer dans une histoire dont il fait un conte au quotidien.

Il a toujours refusé les documentaires, les compilations, comme il a refusé en dépit de sa nomination en 2008, sa médaille de chevalier de la Légion d'honneur. Parce que sa « plus belle récompense, c'est la nationalité française ».

A.A. m'a dit « écris, écris » et me laisse entrer dans son royaume, comme à Tunis, on passe de Bab el-Bahr, la porte de France, à la médina, et à Paris, de l'Hôtel de Ville à la porte rouge du 7 rue de Moussy, l'antre aux jupes corolles de maille incisées comme les stucs de la zaouïa. Son univers s'est façonné au temps où les hommes arabes faisaient cercle autour d'une danseuse du ventre qui s'appelait Safia Gamal, battant des mains, si joyeux. L'oreille collée au transistor, Azzedine écoutait Oum Kalsoum, la Callas du Caire, vedette de chaque premier jeudi du mois sur Radio Tunis. Chafia Rochdi chantait, si rond et doux dans son complet cravate gris perle : « Les femmes ont mis leurs plus beaux atours, et la fête s'est illuminée. »

Aux premières heures du jour, les hommes fraîchement aspergés de Pétrole Hahn bleu, lisaient leur quotidien, accoudés sur une table en bois du Grand Café de Paris ou de l'Univers. Les néons du Capitol et de l'ABC clignotaient, en sortant, des fausses blondes aux ongles garance frôlaient parfois des femmes en haïk. Les cantatrices italiennes, invitées à se produire au Théâtre Rossini, avaient leur suite réservée au Carlton, la bonbonnière de l'avenue Habib-Bourguiba. Le petit Azzedine, lui, avait les yeux dans les yeux de toutes les belles Orientales se déhanchant sans fin sur l'écran du Ciné Soir, le cinéma permanent, où chaque vendredi, son grand-père berbère le déposait, pour faire plaisir à ce petit garçon pas comme les autres, fou de comédies égyptiennes. L'odeur des petits marchands de beignets et de la brillantine Roja se mêlait à celle des cigarettes fumées en cachette. Paris brillait au loin, étoile des actualités Gaumont que diffusaient les cinémas de prestige. C'est à ses camarades d'école qu'il racontait les films, monnayant ses récits contre quelques crayons de couleur : « Quand je dansais, c'était plus cher, deux crayons. » C'est à Tunis qu'il a acheté ses premiers costumes chinois. Ils étaient en coton bleu indigo et ils marquaient la peau.

Je suis allée revoir *Tunis chante et danse* de Frédéric Mitterrand, à la Cinémathèque de la Danse, j'ai flâné dans les rues de Pantin, et les images de sa ville natale se déployaient à nouveau, Tunis, « le désordre aimable et souriant dans lequel l'étranger rêve de se fondre, parce qu'il est la vie même ». Là, premier jour du ramadan, au milieu de ces hommes à l'estomac errant, ces enfants qui jouent et des mères aux sacs débordant de menthe fraîche, un Pantin d'avant Bricorama et d'avant les panini au surimi, j'eus envie d'une carafe glacée de citronnade, et surtout de lui transmettre tout l'amour que j'avais ressenti à mon tour. « Elle s'est faite belle, la fille arabe. Retenez moi ou je défaille », chantait Raoul Journo, dans la plus italienne des villes d'Afrique du Nord, quand Tino Rossi venait chanter *Méditerranée* au Théâtre municipal. Azzedine Alaïa se souvient du parfum des plants de basilic au café des Nattes à Sidi Bou Saïd, ceux que son grand-père alignait sur la terrasse blanchie à la chaux, pour éloigner les moustiques. Dans la réserve, l'eau de fleur d'oranger se conservait dans des bouteilles de chianti juponnées de paille, les bocaux maison avaient été soigneusement étiquetées par Manou Bia, petite de taille, toujours affairée et joyeuse... Des tomates pelées dans leur jus, des sauces tomate au basilic, des citrons confits, du thon à l'huile d'olive dont elle fourrait les petits pains des enfants, pour l'école. Aucun Tunisien n'a oublié les couvertures des cahiers bleus un peu tachés. Traces de main, souvenirs aussi intacts que les lauriers roses de La Goulette.

Youyous

Son trésor rassemble tout ce qu'il a pu
« capter, voir »... De toutes les images de
Tunis, les plus marquantes à ses yeux restent
celles des religieuses de Notre-Dame de
Sion, avec leur cornette et leur voile blanc.
« On jouait à leur courir après, j'aimais la
manière dont leur habit prenait la forme du
vent, elles étaient belles dans leurs sandales
plates, seuls leurs mains et leurs pieds
avaient bruni, on aurait dit des chaussettes
naturelles... » Ces souvenirs sont devenus
plus que des robes. Ils ont façonné une
appartenance à une famille assez œcumé-
nique, la famille Alaïa, qui unit des chrétiens,
des juifs, des musulmans, dans leur attachement à la terre et au ciel, et peut-être ce sens

des rituels. En février, quand Paris est tout gris, j'aime entrer dans cette boutique cathédrale où rien n'évoque mieux l'été que ces robes de percale, anges du désir, statues de sel tissé, linge suspendu aux balcons du Sud, jupes aux arrondis de coupole. Blanc de sieste. Comme dans un vitrail, la lumière joue avec les découpages, les ajourages. Le 7 rue de Moussy retient l'ombre et la fraîcheur des cafés, des églises, des cinémas, pendant les après-midi de sirocco. L'été d'Alaïa ne serait rien sans l'image des *fatmah* qui « faisaient le parterre », déversant des bassines sur le carrelage en relevant leur jupe. Ni des « persiennes » qu'on ferme pour garder tout le jour l'éclat et la vivacité du petit matin. Ces liquettes de popeline que rehausse un pan de mouchoir, et dont les tournures prennent le vent comme des draps qui sèchent, ces chemises amidonnées au tombé parfait, exaltent cette leçon de rigueur transmise par sœur Alberte. Alaïa se souvient lui avoir offert son premier dessin. Celle qu'il imite encore, se dandinant sur sa chaise, quand elle lui caresse les cheveux, la croix de bois au bout de la ceinture. Est-ce un hasard si la rue de la Verrerie fut occupée par le couvent des religieux de Sainte-Croix de la Bretonnerie. Réformé en 1518, fermé en 1778, le couvent fut démoli pendant la Terreur. Aussi païen soit-il, le monde d'Alaïa tourne à sa manière autour des vœux sacrés. Le respect, l'exigence, le dépassement dans le travail, ces sœurs en ont été les messagères, sans doute traversées par quelque chose de bien plus pur encore que la foi : une forme de tolérance dont Notre-Dame de Sion, fondée par deux juifs convertis, est aussi la promesse éternelle. Le monde d'Alaïa se nourrit de silences et de récits, transmis oralement, au cœur d'une citadelle où chaque déraciné retrouve ses traces, un appel à lui-même, le sens d'une vie antérieure. Smala de libres esprits fêtant tout à la fois Noël, Kippour et l'Aïd, congrégation sans protocole, régie par des lois non écrites, comme à l'époque où les femmes arabes saluaient la Madone par des youyous et les familles musulmanes et juives faisaient porter des cierges à l'église. Et savouraient des complets poisson, autant que les parfums mêlés de l'encens, de l'anis et du jasmin.

C'est à Tunis que Georges Bernanos a écrit les *Dialogues des carmélites*, un texte magnifique sur le courage et le don de soi, la force et les doutes qui poussent une jeune fille du monde à entrer dans les ordres, dans la lumière d'une révélation. Avant la révolution et le refus de renier sa foi qui la conduira à l'échafaud. De cette pièce de théâtre émane un sentiment d'absolu : Azzedine Alaïa, qui a de temps en temps dormi sous une croix en bronze, en partage l'indicible présence. La simplicité côtoie chez lui des secrets millénaires. La grâce des moments devient une inspiration, une promesse universelle. La loi procède du beau auquel il semble naturel pour chacun de se dévouer.

« Une fois sorti de l'enfance, il faut très longtemps souffrir pour y rentrer, comme tout au bout de la nuit, on retrouve une autre aurore », assure la prieure à Blanche. Autour de son corps invisible et si présent flotte comme un voile. Alaïa semble lui avoir paré le visage d'épure, cette écharpe de vent me souffle dans la tête, une robe de haute couture « nuage » en organza, matin de brume tissé. Quelque chose de plus en plus mystique s'est emparé de sa coupe, du côté de l'outre noir et de l'outre blanc, comme des vibrations de la terre et du temps. Récemment, une suite de costumes, apparus avec des chemises d'une pureté extrême et des souliers d'homme, fait écho à des visions : les images de Mario Giacomelli, réalisées à

Scanno dans les Abruzzes, ses récréations de séminaristes en rondes abstraites sur la neige, ont pris forme dans l'atelier. Azzedine Alaïa a construit son histoire dans la mode, et à l'extérieur de celle-ci, avec la distance qui permet de lui résister. Comme il le dit justement : « Quand c'est beau, il n'y a pas d'époque. »

Bien des traits du père de l'héroïne des *Carmélites* pourraient être ceux du « patron » : « rien n'altère sa bonne humeur ni ne modifie ses habitudes », écrit Bernanos. « On dirait que les survivants de ces générations formées pour le plaisir, en ne se refusant rien, ont appris à se passer de tout. » Ce détachement-là est une leçon. Je me sens plus en paix et plus près de Dieu ici qu'avec des hordes de salafistes jetant des pierres aux infidèles, un orthodoxe refusant de partager le même ascenseur avec moi, ou ces catholiques fervents anti-homos. Ici, la seule prière possible

– pour reprendre la formule d'Arletty –, c'est « pourvu que la connerie meure ».

La grandeur se mesure ici à la force et à l'instinct qui viennent à bout de tout. Des calendriers officiels qu'il n'a cessé de dénoncer, en défilant deux mois après les autres. De tout ce qu'il boude, lui l'enfant qui n'a cessé d'être roi. « Il ne faut pas penser à ma place », dit-il à Caroline, sa directrice commerciale, son bras droit. « En croyant m'enlever des choses de la tête, tu compliques tout. » L'important c'est de vivre en complète osmose avec lui.

Du regard des autres, il joue, s'amusant toujours à paraître encore plus petit sur les photos qu'il ne l'est dans la vie. Parce que « les petits on les cajole, on les prend dans ses bras ». Son énergie première, il la réserve à la matière, qu'il combat à main nue. Un artisan tient dans ses paumes une peau d'agneau trempée comme au sortir d'un hammam. Autant dire un tas noir. Voici qu'il place la peau sur le corps de Plexiglas impossible donc à épingler, à la différence des Stockman de bois : « Je la travaille en tirant. Je m'accroche avec des fils. Quand je n'ai pas assez, je découpe, je creuse. » Le silence se fait autour de ce technicien en blouse blanche, qui allonge maintenant le corps, le retourne, paré de cette peau qui prend sa forme, l'homme aplatit les hanches de ses doigts étalés en palmiers, il efface un pli, un autre ondule ailleurs, le travail tient de l'opération chirurgicale et de l'étreinte silencieuse, le corps à corps va durer plus de trente minutes, il faudra laisser la peau sécher pour qu'elle prenne vraiment forme, une autre l'attend, panthère fatale marquée d'une croix blanche, ces bolducs qui la sanglent, telle une ceinture de chasteté couture. Une cérémonie d'obédience.

Nous voici dans l'antre de toutes les métamorphoses, où les cartons de mise au point

accrochés à des potences côtoient des digni-
taires de cuir aux manches surfilées, et des
toiles nues, crayonnées de codes secrets, parmi
des princesses en devenir : « M2 double »,
« Fond de pli ». Autour de la grande table
tendue de papier de soie chair, on travaille
dans un silence qui pourrait être celui de la
prieure et de Blanche, parce que l'honneur
est bien en sûreté dans les mains de ces
hommes et de ces femmes attentifs à corriger
une manche, à vérifier les crans d'un manteau de cuir, seize morceaux de calque pour
commencer, sans la parmenture ni le col.
Parce que comme dans les *Dialogues des carmélites*, « il n'est qu'un moyen de rabaisser
son orgueil, c'est de s'élever au plus haut que
lui ». L'équilibre passe par cette humilité-là,
des anneaux ouverts un à un pour assembler
les morceaux d'un blouson, sans fil donc,
mais dont les poches plus fines que des
coups de couteau, ainsi légèrement inclinées

en diagonale, allongeront le buste. Ici, on travaille le cuir comme un tissu. C'est ainsi que l'aristocratie du métier partage avec la culture populaire quelques formules : dans *Belle de Jour*, Pierre Clémenti ne parle-t-il pas de sa balafre, un coup de couteau, comme d'une « boutonnière » ? La peau, on lui fait la peau. On l'entoile, on la bâtit, parfois elle se venge et craque. Le corps de Plexiglas a été réalisé d'après deux statues du Louvre, l'une romaine, l'autre égyptienne. « Des corps en marche », précise Azzedine Alaïa. Il a fallu plus de quatre essais pour le mettre au point. « Trop de seins, trop de hanches », disait le couturier au sculpteur. Pour Galliera, toutes les robes partent « mannequinées » sur les fameux corps redecoupés au millimètre, et bien à l'abri dans des housses puis des cartons qui les protègent. Une cité des femmes nomade.

A.A. redoute le laisser-aller autant qu'il aime les villes et déteste la campagne parce

qu'elle est « molle ». Quand une cliente couture a trop grossi, il l'envoie chez Cadolle se
faire faire une gaine. Ou maigrir. Ou promener, c'est selon. Il est finalement assez
loin de l'époque où il confiait : « Certaines
clientes difficiles exigent jusqu'à douze
essayages[3]. »

Ses vêtements se défendent tout seuls,
disait Michel Cressole, que j'avais rencontré
avec une amie transsexuelle, aperçue, une
dernière fois, il y a quelques années, dans
son trench et sa jupe démodés, pâle, vieille
et poilue, parce qu'elle n'avait plus rien à se
mettre, plus rien à cacher, plus personne à
séduire. Dans les robes de châtelaine d'Azzedine Alaïa, comme dans ses combinaisons de
velvetino, ou ses vestes d'écuyères, il y a toujours une place pour un peu d'illusion, un
peu de rêve, même si le point de départ, c'est
d'abord la réalité d'un corps qu'il re-énergise
de choses vues, aimées, entendues. De

moments de vie tissés. Comme si les citations d'hier, les aigrettes et les mantelets de singe de Joséphine Baker, les jupes d'Arletty, le petit pull de Jeanne Moreau dans *Jules et Jim*, s'étaient fondus dans une autre histoire, la sienne, et celles de toutes les femmes. Jamais, au moment où la mode n'a autant fait œuvre de ramasseuse scolaire, tant recy-clé d'images, il n'est apparu aussi libre, affranchi, et serein, au sommet de son art. Celui de déclencher des regards. Provoquer des rencontres. De donner du bonheur. Comme si, loin des collines de cyprès et de citronniers, seuls les souvenirs se déta-chaient, dans leur nudité : l'apparition fugace de sa mère, avec « une robe vieux rose brodée d'argent, et d'une autre, vert bou-teille brodée or » de sa tante Majida, dans sa robe rouge à passementerie noire. Toujours du rouge, encore du rouge, ces blousons de cuir rouge, et dans ces souvenirs, le manteau

rouge qu'il confectionna pour la fille pré-
férée du bey, « avec un trou pour passer une
écharpe de surah blanc à pois rouges ».
Même si le rouge est noir. Si à cette couleur,
employée par les bourgeois pour s'effacer, il
a rendu sa touche d'exception, son pouvoir
magique, c'est sans doute pour mieux calli-
graphier sa devise dans l'espace : « Je préfère
les corps intelligents aux beaux corps. »

« Saint Laurent dessinait, Monsieur Alaïa
travaille », m'explique Jean Melkonian, tailleur de métier, arrivé rue de Moussy après
la fermeture de la maison de couture Yves
Saint Laurent, en 2002, pour en repartir
quatre ans plus tard, nommé premier d'atelier chez Dior. Au début, j'ai trouvé cette
phrase injuste, ne laissant entrevoir qu'un
Saint Laurent planant dans son monde de
chimères. Après j'ai compris ce que Monsieur Jean voulait dire, uni par la technique
à cet homme qui coupe, trace les fils, règle

les toiles. Chaque « main » signe un pacte non écrit. Chacun redevient l'apprenti que le maître n'a jamais cessé d'être. « Il connaît son travail de A à Z. » Yves Saint Laurent, c'était d'abord « Monsieur ». Un Parisien d'Afrique du Nord aux belles manières, assis au fond du studio, et que les premiers et les premières voulaient étonner, pour le rendre heureux. Transfuge de Balenciaga, Madame Félisa avait trouvé un système pour ne pas que les seins bougent sous les « drapés coup de crayon ». Elle évidait des soutiens-gorge cousus à l'intérieur des fourreaux de soie calypso, qui leur donnaient des corps de sirène. « Tiens, mets ce porno », disait-elle à un mannequin, pour la pose, avant la montée au studio : l'épreuve des silences, des chuchotements, d'un regard qui disait oui bravo, ou enfonçait tout le monde dans le silence. Azzedine Alaïa tutoie. On l'appelle « le patron ». « Les professeurs vous enseignent les droits fils. La vraie école, c'est avec lui », confirme Erdal de l'atelier Tailleur. « Je suis arrivé ici il y a dix-sept ans. J'avais dix ans d'expérience, mais j'étais comme un débutant. »

Corps à corps

Ici, pas de plaques dorées fixées sur les portes des ateliers, ni de seigneuries couture. Le premier des premiers, c'est lui. Celui qui aime caler ses toiles, chercher les sens, couper, coudre et découdre : « C'est par l'infini des gestes et des essais, par le travail de la main que je me suis initié à la coupe et que sans doute j'en ai percé une partie du mystère[4]. » Les mains des uns et des autres correspondent à travers le langage des fils et de la matière qu'il a créés, ajoutant à la science du « chaîne et trame », le mouvement des coupes en biais, et celui plus rebelle des fibres extensibles, travaillées et domptées comme du droit fil, sur les corps de ses mannequins cabine, lors des essayages : « Aujourd'hui encore, quand je travaille sur un mannequin, c'est comme si je manipulais de la glaise » (*op. cit.*). De là cette vibration de la matière, animée par le souffle d'un sculpteur qui donne une présence particulière à ses robes, et dont chacune exalte le dynamisme des corps en marche d'Alberto Giacometti : « Quand je dessine, le chemin tracé par la plume sur le papier est, par extension, analogue au geste d'un homme cherchant sa voie dans le noir. » Pareil à Azzedine Alaïa, l'artiste n'avait jamais quitté sa caverne-atelier de la rue Hyppolite-Maindron, à Paris.

Rue de Moussy, dans l'atelier Tailleur, un mannequin de bois dit en silence la vérité. « Parfois, on recorrige un peu. On met des rembourrages, des aisances sur le dos, les petits côtés, mais on ne va jamais plus loin que le 46 », commente l'artisan. Par quelles étranges affinités électives le monde de la pègre, celui des ordres et de la couture, se trouvent donc ainsi aimantés ? Dans chacun d'entre eux, on *mate*, on *chasse*, on *rabat*, on se *refait*, soumis à la fierté d'une communion, d'une appartenance. Pour prétendre à l'honneur, le crime parfait est celui qui ne laisse pas de trace. La robe absolue est celle qui ne semble pas avoir été touchée…

Les conseillers en communication, les coaches et les consultants devraient venir un peu s'immerger dans les ateliers des maisons de couture. Le silence qui y règne n'est pas celui des open spaces, c'est une étoffe irrégulière tissée de secrets et d'épreuves, celle que ne pourra jamais totalement recouvrir la toile de sa virtuelle opacité, et dont les connexions, en même temps qu'elles rassemblent des individus aux quatre coins de la planète, les isolent, si près, si loin des autres. Là, le temps file entre les doigts de ces hommes et de ces femmes occupés à reprendre pendant des heures l'arête d'un col, aérer un godet, étrangler les boyaux d'une jupe de maille, fileter un à un de cuir

brut. Rien ne les sépare, rien, pas de panneaux antibruit, pas d'écrans antireflets ni
de filtres antispams, ils semblent communier
dans le travail, comme d'autres dans la
prière. « Je vous fais une place ? » m'avait-on
demandé une fois les présentations faites par
Montassar, le cousin d'Azzedine : « C'est
Laurence, une amie de la maison, le patron
est ok. » *Mta'na.* Elle est de chez nous. Mon
premier réflexe fut d'éteindre mon téléphone portable. La voix de Francis Cabrel
zigzaguait sur RFM, « Tout le monde veut
son billet retour. D'amour d'amour ». Et
puis le poste s'est éteint. Il était 12 h 45. Le
départ était annoncé. « On attend que Monsieur Alaïa nous appelle pour le déjeuner. »
Quand j'ai retrouvé le premier d'atelier Tailleur, au bout de la longue table, il avait mis
sa cravate et sa veste de costume. Assise à sa
droite, j'ai raconté à Azzedine ce que j'avais
vu. Il a souri. Ils ne se parlaient pas. Mais
ils étaient ensemble, pour partager ce repas,

autant qu'un rituel accompli : temps complice, au bord de l'inconnu familier, temps du verre qu'on souffle, du gâteau qui dore, de l'enfant qu'on berce, entre deux mondes, avec l'idée que chaque jour est un recommencement, une promesse, une lutte sans merci avec cette matière à dompter.

A.A. aime les beaux plis. Pas les faux. Chez lui, un petit coup de fer ne dure pas moins d'une demi-heure. Dès le matin, les machines Durkopp Adler sont prêtes pour la pattemouille. Son pire ennemi, c'est le chiffonné, l'informe, cet irrespect de l'autre dont les vêtements sont parfois les pires messagers. De ceux qu'il admire, Rei Kawakubo en tête de liste, il dit : « Elle va loin, elle a une ligne. Tout le monde la pompe mais elle ne cède jamais[5]. » Ne jamais renoncer, ne jamais faillir. Rester encore et toujours le décrypteur d'énigmes, le fétichiste des apparences : « J'aurais aimé être balayeur à Versailles dans la galerie des Glaces pour regarder les femmes passer dans leurs robes. » Il est le dernier à savoir modifier la forme d'un vêtement en le repassant. A mannequiner une robe de Madeleine Vionnet, des yeux dans les mains, des mains potelées à la peau douce qui manient le ciseau et l'aiguille, n'écoutant au fond de lui-même que l'âme d'un tissu, le sens qu'il exige.

Dans l'atelier Flou, les petites mains bâtissent une robe de mariée, en passant des fils blancs sur des fils rouges. Avant l'essayage, on enlève les épingles une à une. Les mains parlent de l'honneur d'être ici, avec ces robes qu'elles passent furtivement devant elles, et qui leur donnent envie de danser. Tout est dans la coupe, le secret intérieur. Tout se passe en dessous, les métrages de faille pour « donner du corps », les baleines « pour tenir », les cordons queue de rat roulottés dans du satin au bas de la robe, pour lui donner de l'aplomb. « C'est baleiné, mais pas compressé. Même si elle danse, il faut

que ça tienne, interdit de s'écrouler... »
D'anciens modèles se mêlent aux nouveaux.
Ici un justaucorps imprimé de papillons
géants : « Avant il y avait un soutien-gorge.
Mais la baleine marquait. Il remet tout à
plat. » On refait une robe à bandes. Fatima
soulève le voile blanc qui la protège et
m'explique : « Un petit point, puis un jour,
et ainsi de suite... » Du mouvement, de la
lumière. Azzedine Alaïa ne donne jamais
d'image, de photo. Tout commence et tout
finit par le tissu, là où pour lui, le rêve absolu
serait de faire une robe « sans avoir à cal-
culer le temps, ni à se préoccuper de quand
elle devrait être finie, présentée... »

L'obsession est une forme de défi. « Même
s'il transmet son métier, il ne pourra jamais
transmettre sa tête, et la connexion entre sa
tête et ses mains », disent ses intimes. Artiste,
il l'est dans tout ce qu'il entreprend avec
passion. Lui, qui surgit et s'éclipse, dans ses
chaussures noires à semelles courbes. Après

avoir cuisiné le poisson, il est celui qui dis-
paraît dans son atelier pour couper une
mousseline, épingler une toile, redescendre
embrasser Shakira de passage à Paris. Deux
ascenseurs intérieurs le mènent d'un étage à
l'autre. Labyrinthe du désir, offert à toutes
les tentations, combinaisons intégrales de
maille mouchetée, jupes aux bandes à croi-
sillons ajourés qui montrent tout sans rien
laisser voir. Eloge de la démarche, émulsions
intérieures, alerte à la carte Visa Infinite. Il
habille de nu les plus belles, les plus aimées.
Et donne aux autres l'envie de s'aimer un
peu plus. J'aime ses robes faites pour étirer
le buste, avec leurs meurtrières découpées
sur les petits côtés, ses creux de Vénus que
souligne une fine surpiqûre. Il révèle et il
ombre ce qu'on voudrait cacher, les bras,
avec des caracos tricotés plus fin que des bas
de cigaline, des traits de fusain dans l'espace.
J'aime sa manière d'inventer des amarres
secrètes et invisibles, qui retiennent tout, de

faire d'un boléro l'arme suprême, la jaquette d'airain.

Il n'est pas l'enfant de la vengeance, le fils qui s'est promis de sauver un honneur perdu. Il a grandi dans un amour assez grand pour qu'il soit partagé, entre sa mère, sa grand-mère, ses tantes, toutes ces femmes qui l'ont construit. Les femmes de sa famille, il les décrit volontiers comme des « aventurières ». « Ma mère était venue pour une semaine, afin de s'occuper de ma grand-mère. Elle n'avait pris qu'une valise. Mon père nous a rejoints, avec ses poulets, et ses légumes dans la voiture, mais au moment de repartir, elle n'a pas voulu. Elle a préféré rester avec sa mère, avec nous. Elle n'est jamais retournée dans la maison où elle avait vécu depuis quarante ans… » raconte Azzedine Alaïa, qui se souvient de son parfum, Soir de Paris, de la boîte bleue étoilée or de Bourjois, du flacon rangé comme un objet de vitrine, avec les bibelots… Et puis sa grand-mère. Celle qui l'élevait, à Tunis, décida de faire une fugue… « Elle avait l'habitude de sortir la nuit, après dîner. Elle a mis son voile, mais n'est pas revenue. Moi, je dormais avec elle. On a veillé une première nuit, on l'attendait. Puis une autre… Un jour, on a reçu des dattes, les cousins du Sud… Quand elle est revenue, personne n'a osé lui demander pourquoi elle était partie… »

Ali, le grand-père maternel, est pourtant officier de police. C'est auprès de lui, après l'école, qu'Azzedine Alaïa a passé de nombreux après-midi à regarder, à Tunis, la préposée aux cartes d'identité photographier, couper les vignettes à la bonne taille. Elle faisait trois photos à chaque fois, il en gardait une. C'est ainsi que le futur couturier a constitué son petit album personnel. Avec des blondes, des rousses cramoisies de henné, des brunes aux cheveux brûlés par le sirocco. Des Poupette, des Rita, des

Mireille, des Safia et des Chouchette venues des faubourgs de Montfleury, ou du Kef. Des grosses, des petites, des lianes de Bizerte. Des futures miss Sfax, envolées dans la nuit des temps. Ses favorites ? « Les Italiennes en robe de communion. » Claudia Cardinale doit avoir le même âge que lui. Proclamée « la plus belle Italienne de Tunis », elle fera ses premiers essais pour Cinecittà. Elle est là, devant la mer, dans son haïk blanc, au milieu de jeunes filles qui sourient et jouent avec l'écume. Sa sœur s'appelle Blanche. C'est ensemble qu'elles se sont déguisées pour la fête de bienfaisance de la colonie italienne de Carthage. Qu'elles aiment regarder les danseurs de la maison d'en face, cachés par un dais blanc. Leurs silhouettes se détachent en ombres chinoises. De là, serait née sa passion pour le cinéma. Azzedine Alaïa appartient à cette école du regard, dont les tantes, les amies, les cousines, les voisines restent les piliers vivants, fragments détachés d'une fête de cymbales et de « que Dieu t'éclaire », de « oui missié, tad souite », de marieuses, de tagines, de miel et de potins. Celui que l'Amérique surnommerait le « French Genius » ne parle pas anglais, mais il se débrouille dans toutes les langues.

Cette collection de photos aujourd'hui disparue forme un panthéon d'anonymes auxquelles il a dédié sa vie, ayant choisi d'inventer à sa manière le plus incopiable des passeports : « Je préfère que les gens remarquent une femme et pas ce qu'elle porte. Son visage, son corps, ses mains, c'est au vêtement de les rendre plus beaux… » Les femmes vivent en lui, ardentes et fières, comme sa tante Esia qui, elle, décida un jour de divorcer. Elle annonça la nouvelle à son père, et reçut une gifle. Elle lui embrassa la main, et partit pour faire sa vie, comme maquilleuse. « Elle vivait avec une amie juive, Madame Fortunée, qui donnait des cours de piano, s'occupait de trouver des costumes pour les fêtes, je les accompagnais au souk des tissus, et c'était drôle de les voir marchander, sur le tapis. » Il raconte. Elles sont là, présentes devant nous, Esia aux « cheveux carotte », et Madame Fortunée, « dans sa robe à fond noir imprimé coquelicot ».

A Tunis, les femmes de la médina s'entraident, courent apporter un bol de sucre à la voisine, les générations vivent ensemble, la mère, les enfants, la grand-mère, la tante Majida si belle qu'un ministre veut l'épouser. Les projections se suivent. Le grand choc, ce sera *Riz amer*, chef-d'œuvre du cinéma italien néoréaliste avec Silvana Mangano et Vittorio Gassman. Silvana incarne Silvana, la *mondine* des rizières, ange et démon aux pieds nus, dont les déhanchements en short et bas filés excitent le désir des hommes et des femmes. Celle qui dit pouvoir apprendre une danse en une soirée, voyage avec un gros baluchon et un matelas de laine, dénonce les clandestines, vole à la voleuse un fameux collier de diamants qui se révèle être faux. Ces plans fixes de jambes dans l'eau par Giuseppe de Santis, ces contreplongées fixant cette silhouette plantureuse en combinaison noire, qui découpe des figurines de mode, rêve de boogie woogie et de grands hôtels, le jeune Azzedine Alaïa les capte pour en faire à son tour des trésors. L'histoire est celle d'une récolte qui dure quarante jours, le nombre sacré, les quarante jours durant lesquels sa mère resta à Tunis pour le mettre au monde. Dans les yeux de Silvana Mangano, ne brille que l'appel de l'ailleurs : « Au moins toi tu as vu la vie, tu as vu autre chose que la misère… »

A ses débuts dans son appartement du 60 rue de Bellechasse, il travaillait, en roulant son matelas chaque matin sous les machines à coudre. S'il a commandé à Patrick Blanc – bien avant que celui-ci ne soit consacré comme le paysagiste du musée du Quai Branly – un mur végétal pour sa salle de bains, Azzedine Alaïa est resté implacablement fidèle à un mode de vie, sans limousine ni jet privé. Avec assez de force intérieure pour préférer aux quintias de l'avenue Montaigne sa tente caïdale en dur, son refuge, sa tour de Babel cosmopolite, sa force, sa loi.

Un jour viendra où tout ce qui est là, caché ou pas, en attente, comme la suspension à trois branches en aluminium cintré des Bouroullec, l'étagère *Séquence* de Charpin, toujours dans leur caisse de bois, à côté des cageots en plastique rose Evian, exposé au cœur d'une fondation privée, la Fondation Alaïa. Mais la priorité, c'est le travail. Celui sur lequel tout repose, pour cet homme qui ne dort que cinq heures par nuit, et dont Farida Khelfa, qui fut longtemps sa muse et son mannequin avant de devenir chef de studio, affirme : « Il a la structure du vêtement dans la tête. » Sa richesse, ce sont les autres. Ce lien qui se passe de tout salamalec (marques de politesse exagérées), quand il s'agit d'aller à l'essentiel. La première fois qu'ils se sont rencontrés, c'était il y a plus de trente ans. « Tu as un petit ventre, toi… » lui dit-il. Elle venait trouver à s'habiller pour un film publicitaire, « Shéhérazade », tourné avec Jean-Paul Goude, son complice et mentor. « Et toi, tu t'es vu ? » Cette habituée des nuits du Palace parlait verlan comme personne, elle avait un blouson en tartan trouvé aux puces, d'emblée il aima sa gouaille, ses reparties. Lorsqu'elle défilait chez lui, ses yeux noirs jetaient des braises. Fille d'immigrés algériens, elle avait fui sa famille à l'âge de seize ans. Ses cheveux retombaient en lourdes boucles aux reflets de jais sur ses épaules altières, la fille de la tour 106, rue Gaston-Montparnasse, aux Minguettes, devenait dans ses robes et ses pardessus d'homme, la reine de Saba, la première icône beur absolue, celle qui « chambrait à mort », malgré cette insatisfaction de nature à la tétaniser : « J'avais un rapport très ambivalent à la mode. Je ne suis pas exhibitionniste, même si j'aime les belles photos de moi », affirme Farida. « C'était comme la Reine de Saba/ Allant sans nul cortège/Une démone rentrant du sabbat/Nimbée de sortilèges », chantait Jean Guidoni. Les premières émeutes urbaines avaient éclaté, et la marche des beurs avait brisé les tabous du silence intra-muros parisien. On commençait à parler d'un « enjeu de société ».

Trois décennies et trois sms plus tard, elle me donne rendez-vous dans cet appartement cossu du dix-septième arrondissement, si longue dans cet ensemble bleu outremer, comme un serpent *socialite* détendu sur un fauteuil de velours émeraude, effleurant les voilages blancs de ses sandales Alaïa piquetées

de boules d'or. Une Salammbô d'aujour-
d'hui, témoin du mariage Sarkozy-Bruni –
l'une de ses meilleures amies –, qui me parle
de ses brachiaux antérieurs et des biceps
qu'elle « récupère » dans la salle de sport
d'un palace voisin grâce à son coach, des
déjeuners dans la cuisine d'Alaïa, le samedi,
de cette rencontre avec Arletty, en tailleur
blanc, « elle presque aveugle, et lui qui lui
tenait la main, toujours », et puis de l'émo-
tion qu'elle a lue dans son visage, lorsqu'à
l'hôpital, il a pris Omer, son nouveau-né qui
allait devenir son filleul, dans les bras… On
ne saurait dire par où, de son corps ou des
vêtements d'Alaïa, tout a commencé. Mais
les souvenirs ne pèsent rien, ils sont une suc-
cession d'instants qu'elle égrène de son rire
radieux et blanc, sous un léger masque
d'inquiétude, elle, cette silhouette, ce rire, ces
quelques mots de verlan jaillis d'une enfance
de débrouille, les chagrins qu'estompent la
réussite, c'est la mode au plus-que-présent.

Une histoire d'attirance, une aimantation presque magnétique entre deux êtres, deux personnalités.

« Il fait plus que rendre les femmes belles. Il leur donne de l'assurance », affirme Carla Sozzani, la complice, rencontrée en 1979, celle qu'il appelle sa sœur. « Sans elle, j'aurais arrêté le métier. » C'est elle qui a orchestré le rapprochement avec Prada en 2000, puis avec Richemont en 2007. « Qu'il ait tout ou qu'il n'ait rien, il n'a jamais rien à perdre. Il n'est jamais content de lui-même. Il sait qu'il peut faire mieux. » A la question « qu'est-ce qui a changé ? », elle répond, sans hésiter : « La taille de la cuisine. »

« Il ne faut jamais oublier d'où on vient », dit ce terrien né sous le signe des Poissons. Enfant, il allait souvent, pendant les vacances scolaires, chez son grand-père paternel qui lui avait donné « un chien, une vache, deux chevaux, une brebis qui est devenue un troupeau… » D'Ismaël, son père, il a gardé un attachement viscéral au sol, qu'il cultive sans avoir à le posséder, ayant d'ailleurs légué l'ensemble des terres à sa nièce. « Tu me vois avec des vignes, des moutons et des oliviers ? » Chaque fois qu'il prévoit de partir en Tunisie, il change le billet d'avion, une fois, deux fois, trois fois, cinq fois, puis annule. Il ne s'agit pas de prendre des vacances mais de rendre visite à sa famille. Il se rend si peu dans son pays natal qu'un jour, le gardien de sa propre maison, à Sidi Bou Saïd, refusa d'ouvrir la grille à ce petit homme en pyjama noir. « C'est Monsieur Alaïa, je vous dis… » On avait raconté au jeune homme que le propriétaire était un couturier célèbre. Le gardien croyait qu'il était grand, et qu'il ressemblait à Yves Saint Laurent.

La terre donc, pour Azzedine Alaïa, c'est son sens de la tribu, sa famille, celle qu'il s'est construite, envers et contre tout. Parce que en lui coule le sang source de sa mère, le sang de la fille Zaghouan, cette ville du nord-est de la Tunisie, où l'empereur Hadrien avait fait construire un aqueduc pour acheminer l'eau, du djebel jusqu'à Carthage. Doté d'une mémoire extraordinaire, l'homme fils se sait riche de ce rapport fluide au monde, lui qui collectionne sans jamais avoir rêvé de « posséder ». Celui qui préfère employer le mot d'« occupant », plutôt que celui de propriétaire. Parce que le temps n'a pas de prise sur lui. La blessure qu'il s'est faite à la jambe, à cause d'un carton d'archives, dans la cave, cicatrise sous une couche de Mercurochrome. Blessure de guerre des boutons, de cour de récréation dont il a fait son antre. Lui, dont les intimes ignorent également la date exacte de son année de naissance. Né un 26 février, il aurait pu, avec trois jours de plus, s'offrir le luxe de ne fêter son anniversaire, tel Balthus, que tous les quatre ans.

Dans ses yeux, dans ses mains… Azzedine Alaïa a fait ses débuts dans la vie en assistant la sage-femme qui l'a mis au monde, Madame Pineau, à laquelle il voue une reconnaissance infinie. Une femme de caractère au cœur d'or chérie par tous, juifs, chrétiens, musulmans. C'est elle, la « reine du quartier » qui parcourait la ville arabe pour aller délivrer les mères, les voyous les plus redoutables l'escortaient dans ce labyrinthe de maisons blanches, où la table de travail n'était souvent qu'une natte étendue au sol. Avec pour tout confort, une cuvette en fer-blanc que remplissait d'eau Azzedine, à l'époque où l'on ne disait pas encore « avoir un bon relationnel ». C'est chez Madame Pineau qu'il va se plonger dans les revues spécialisées, les livres d'anatomie, autant que les magazines de mode. Parfois, il dort même chez elle, sous une croix de bronze. Madame Pineau le pousse à s'inscrire au concours d'entrée de l'Ecole des beaux-arts. L'âge requis est seize ans, il n'en a que quinze, et son père, toujours au bled, et « entré dans un monde de silence » depuis le départ de sa mère, n'est pas au courant. Pour payer ses fournitures, il travaillera la nuit pour un confectionneur, avec Hafida sa sœur chérie, rivée sur la machine à coudre. C'est dans les carnets de couture de celle-ci qu'il a appris tous les points : le point de surfil, le point de croix, le point de Paris, le point turc, dessinés puis piqués sur les coupons de lin que distribuaient les sœurs de Notre-Dame de Sion.

Son premier vêtement ? C'est ce short blanc qu'il coupe pour son professeur d'anatomie. Qui porte des shorts à Tunis ? Les belles Juives tunisiennes du Belvédère, les affranchies, les Livournaises frôlant de leurs pieds de nacre le sable de Rawad, épiées par les caïds qui leur faisaient parfois des gestes obscènes quand elles se changeaient, enroulées dans leur *fouta*. L'une d'entre elles venait à la maison pour broder les *djebba* de fête de sa mère. Porter un short à Tunis, c'était un sésame, l'appel du large, celui qui conduirait 180 000 Français à quitter leur terre entre 1957 et 1964. Pour les Nelly, les Francine, les Geneviève, filles des Nanou et des Rachel, elles-mêmes nées au bled d'une mère ne parlant que le judéo-arabe, cela voulait dire apprendre la liberté. Inventer une nouvelle manière de vivre, comme l'avaient fait leurs grands-pères, à la fin du XIXᵉ siècle, troquant l'habit indigène contre un costume à l'européenne. Mais le short avait encore mauvaise réputation. Celles qui l'arboraient en ville vivaient dans les bas-fonds de la médina, ou à la lisière de la *hara*, dans les dédales du vieux quartier juif, et pratiquaient le plus vieux métier du monde : « Des Européennes en short et chemisette, de tous âges, de toutes nationalités, de toutes couleurs, bandeau dans les cheveux, fausses blondes platinées ou vraies blondes – je ne savais pas distinguer –, des brunettes siciliennes en peignoirs taillés dans des couvertures, des Espagnoles accentuant leur type avec force peignes hauts, châles noirs et grains de beauté, des musulmanes et des juives, des fleurs derrière l'oreille et les sourcils rasés et remplacés par de gros traits de peinture noire, quelques négresses aux cheveux crépus et combinaisons rouge vif ou bleu roi » (*La Statue de sel*, Albert Memmi) : « Je ne savais où mettre mes yeux. J'étais abasourdi de tant de richesses, ému de tant de chairs offertes à chaque fois. »

Hafida, sa sœur adorée, a encore des nattes de petite fille. Prince aîné, il habille ses poupées, constituant sa petite boîte à trésors, boutons, rubans, galons, agrafes à baleines et à coques, aiguilles piquées sur des coupons. Azzedine, une crinière noire et frisée qui dénote dans la médina, autant que ses pantalons de coton et son petit pull noir, silhouette plus proche des années soixante-dix que des années cinquante, dans ce Tunis où il affirme sa différence. Madame Richard, l'une des couturières les plus réputées de la ville, qui reproduit les modèles de Dior et de Balmain d'après les patrons achetés aux maisons de couture parisiennes, le prend comme apprenti. Mais c'est une cliente qui le remarque : Habiba Menchari, grande bourgeoise activiste au parti socialiste, restée célèbre pour avoir, en 1924, demandé publiquement l'abolition du voile, s'être découverte devant les ténors du parti socialiste, et demandé quatre ans plus tard l'abandon de la polygamie. « Ma mère l'a connu avant moi. Elle avait détecté ce talent évident », raconte Leïla Menchari. Leïla deviendra l'amie intime. En attendant, Habiba emmène Azzedine partout, les dîners, les grands mariages de la haute société tunisienne où elle le fait passer pour son petit-neveu. « Tu dois le connaître. Il est aussi fou que toi. Il ne peut pas rester là, il faut qu'il parte. »

Habiba, qui se rend régulièrement en France, où elle fait chaque année sa cure thermale à Vichy, contacte une amie qui s'habille à Paris chez Dior : Azzedine doit être pris avenue Montaigne.

Tout juste débarqué de l'aérodrome El Aouina de Tunis, chic comme un milord, pensait-il, avec son manteau en poil de chameau, il n'était que l'Arabe. Algérien ou tunisien, c'était la même chose. Attentats, bombes dans les cafés, massacre de Mechta Kasbah, premières dénonciations de torture. A l'heure des « événements », les gens d'en face n'étaient pas les bienvenus. Ayant choisi l'atelier plus que le studio, il ne restera que cinq jours chez Dior, avant d'être remercié.

L'un de ses premiers coups de foudre est Arletty, qu'il a découverte dans *Hôtel du Nord*, au Ranelagh, lors d'un cycle Carné. « J'étais fasciné par cette femme qui jouait les pauvresses, avec ses souliers Perugia. Et puis par sa voix. Ce timbre unique. » Un soir, alors qu'un ami coiffeur chez Alexandre de Paris lui dit qu'il va faire la mise en plis d'Arletty, il bondit. Renonce au poulet qu'il avait payé si cher, pour traverser Paris à toutes jambes. Les présentations ont lieu dans la loge du théâtre où Arletty joue *L'Etouffe-chrétien*, une « mauvaise pièce » de Félicien Marceau, où elle a accepté de jouer, « pour payer les impôts ». Elle le toise et lui dit : « Vous êtes petit, mais on vous remarque. » Une amitié naît, pour la vie. Sa première commande ? Un paletot blanc. Puis un tailleur de satin rose, pour la bonne mine. « Elle a été un vrai passeport pour comprendre une autre France. C'est arrivé par le langage ; jamais je n'avais entendu parler français comme ça, des phrases denses et courtes, comme des caresses ou des paires de claques, et qui vous donnent du courage[6]. »

Karl Lagerfeld fera ses débuts comme assistant chez Balmain, Yves Saint Laurent, le petit prince de Dior, esquissera dès 1957 les lignes en devenir de la maison aux mille cinq cents ouvrières. Ils fréquentent les cinémas des Champs-Elysées, se passionnent pour les idoles hollywoodiennes, vivent par procuration les souvenirs de ces idoles de la Belle Epoque roulant en voiture capitonnée de panthère, ne portant jamais deux fois les mêmes souliers du soir… Leurs chemins se croiseront, fortuitement, Azzedine Alaïa réalisant en 1965 le prototype de la robe Mondrian que lui confie Madame Munoz, la directrice du studio de la maison Yves Saint Laurent créée en 1961. Il se rendra rue Spontini pour aller chercher, dans l'atelier de Madame Ida, le modèle à faire. « J'en ai gardé un bon souvenir. » Azzedine Alaïa a toujours la lettre et les trois cravates envoyées par Yves Saint Laurent. Mais un monde les sépare définitivement. Celui de l'argent, des origines, du rang à tenir ou pas, et l'envie de régner qu'ont chacun de ces solitaires fascinés par la capitale. Mondanités, dîners, petites tâches, travail. Azzedine Alaïa prend tout en bloc. Comme dit Leïla en riant : « Il n'a jamais été areu areu. Il capte tout. » Et surtout il n'a jamais peur de déchoir.

Madame Bouillac, la concierge du 13 de la rue Lord-Byron, accepte de le loger dans la chambre de sa fille, à condition qu'il lui confectionne des robes à fleurs et qu'il distribue le courrier. « Il s'est fait tout seul à la force de son poignet », souligne Leïla, qui habite alors dans une chambre de bonne du sixième étage. Ils n'ont pas d'argent. Le soir, ils croquent des hot dogs « comme des souris », au cinéma. La chambre d'Azzedine donne sur l'issue de secours du cinéma Le Balzac. Il s'endort, bercé par des voix, films, réclames Jean Mineur, la lumière du grand écran balaie son visage, à travers la ligne séparant les portes battantes. Le jour, il coud, prend des cours de danse rythmique avec Tina Masado et Kuka. « J'étais Valentin le désossé, je pouvais faire le grand écart. »

Et monte quatre à quatre les escaliers de l'immeuble : « La carrosserie était neuve. » Parmi les habitants, les parents de Carine Roitfeld...

Leïla *fait la pose* chez Guy Laroche, où Azzedine travaillera pendant deux ans. Leïla, qui s'habille comme une boy-scout, reconnaît : « La haute couture, c'était une école. Moi, j'y ai appris à m'habiller, à me coiffer, à être qui j'étais. Il fallait dégrossir la petite bête... » Azzedine habitera ensuite chez une amie mannequin, Rosemarie Le Quellec. Leur appartement se situe au 13 rue des Marronniers, dans le seizième arrondissement, mais il est complètement vide. Il n'y a qu'une table à repasser, une machine à coudre. Il dort par terre et s'en fiche. Leïla, qui vient de poser pour la maison Dunlopillo, lui dit qu'elle peut avoir un bon prix pour un matelas. Elle n'insistera pas. Quelques années plus tard, c'est le même dont les clientes provoqueront rue de Bellechasse des embouteillages de Rolls-Royce. « Il m'a toujours dit, "tout peut disparaître un jour. Je n'ai pas peur de manger du pain et des olives". Rien ne l'impressionne, tout l'intéresse. »

La marquise de Mazan qui l'emploie lui présente, lors d'un dîner chez elle, la comtesse Nicole de Blégiers. Fille d'un résistant, cette aristocrate belge a une éducation qui la dispense d'a priori et de tabous. Il va venir habiter chez elle, rue Decamps, à deux pas du Trocadéro. Il garde occasionnellement Diane, dix-huit mois, et Guy, trois ans, leur donne le bain, cuisine le samedi et le dimanche, et le reste du temps, fait des robes[7]. Azzedinou, comme l'appelle le petit Guilou, joue si bien avec eux, qu'ils oublient toujours d'aller se coucher. Quand les parents rentrent d'une soirée, ils les retrouvent, les trois, à regarder la télévision. Impossible d'imaginer que c'est le même homme qui dans sa chambrette au bout du couloir, coud des robes pour Madame Bourguiba. Un soir, jusqu'au petit matin, tout le monde s'y met, même la comtesse. « Il fallait livrer la commande avant six heures du matin à Orly. » Elle poursuit : « Azzedine m'a appris comment les cols tournaient, il fallait faire un point spécial pour que ça roule. » Ils déménageront, une première fois, avenue Victor-Hugo, puis rue Spontini. « Ah oui, je crois qu'il y avait une maison de couture… » se souvient la comtesse qui se fait habiller à façon par son pensionnaire : une robe l'été, une robe et un manteau l'hiver. Jamais elle n'a autant ri que pendant ces quatre années. Malgré les difficultés d'une époque que personne n'a oubliées : « Un soir, il est allé apporter un potage à une amie mannequin souffrante. Il s'est fait arrêter en revenant. La police ne voulait pas croire qu'il habitait là. Ils ont dû réveiller la concierge. »

Pour Nicole de Blégiers, Azzedine Alaïa est resté « un garçon profond, plein de talent. Rien n'est petit chez lui ». Quand le couple partait chasser en Angleterre, quand la fille au pair était de sortie, c'est lui qui allait promener, à pied, les enfants au bois de Boulogne. « Il a des mains de fée. Il nous préparait des plats remarquables. » Dans la voix de la comtesse, je retrouve au bout du fil l'âme de la grand-mère de Marcel Proust. « Car pour elle, la distinction était quelque chose d'absolument indépendant du rang social. Elle s'extasiait sur une réponse que le giletier lui avait faite, disant à maman : "Sévigné n'aurait pas mieux dit !" et, en revanche, d'un neveu de Mme de Villeparisis qu'elle avait rencontré chez elle : "Ah ! ma fille, comme il est commun !" »

Azzedine Alaïa appartient à la noblesse de ceux qui tiennent, éveillés, l'ordre du monde autour d'eux. Il partage avec des complices, comme Marc Newson, cette fascination pour l'artisanal et la technologie, le très ancien et le futuriste. « Créer un objet, une série d'objets, c'est distiller tout ce que l'on a appris et essayer de résoudre un problème. Enfant, j'étais nul en maths, mais je démontais tout. Je voulais comprendre comment la chose était faite », a expliqué le designer australien, dont les luminaires géants fixés au plafond, comme des modules organiques, éclairent désormais la boutique du 7 de la rue de Moussy. Même exigence dans les volumes, leur inclinaison dans l'espace.

C'est par la sculpture qu'Azzedine a exploré le corps, un labyrinthe sans fin de muscles et d'articulations. Une histoire de proportions, de coupe, de moulage, de démontage, qui évoque l'ossature d'un objet à vivre. N'est-ce pas un signe si à chaque étape de son existence, c'est Jean Prouvé qu'il retrouve, tel un complice silencieux ? Il se souvient de la chambre de bonne que lui avaient prêtée les Zerhfuss, rue Arsène-Houssaye, un espace entièrement aménagé avec des meubles de Jean Prouvé : « Cette armoire, ces chaises en bois, aucun de mes amis n'en voulait ! » L'artisan forgeron, qui avait travaillé avec Bernard Zerhfuss, l'hôte architecte (la verrière en acier plié du CNIT, 1957), était également un autodidacte. Aujourd'hui encore, on les dirait frères de glaise et de fer. La chaise Compas de l'un est peut-être la chemise blanche de l'autre. Et son lit Antony, une robe noire. Emboutie, nervurée, soudée, la tôle d'acier évoque à sa manière cette maille Alaïa à la texture unique.

« Presque quarante ans ont passé, les eucalyptus et les chênes-lièges ont envahi le jardin, étendant leur ombre, menaçant les lauriers et les autres arbustes, les privant de soleil, prêts à les recouvrir, mais n'y parvenant pas. C'est leur odeur maintenant qui habite le lieu, apaisante le soir, plus acide avec la pluie, où se mêle encore celle de l'herbe aux heures chaudes de la tonte. (…) J'habite la maison, je la traverse. Je l'habite au-dehors autant qu'à l'intérieur… » écrivait Bernard Collet à propos de cette maison construite par Prouvé, « en légère lévitation sur son fin socle de béton blanc ». Si les robes d'Azzedine Alaïa résistent aux saisons, c'est qu'elles sont d'abord charpentées, faites pour être habitées, à leur manière, elles affrontent le vent, dans cette « fragilité de bois et de verre » dont parle encore Bernard Collet. Et ce n'est peut-être pas un hasard si le couturier a choisi de s'endormir chaque soir dans un lit aménagé sous les auvents d'une ancienne station-service signée Prouvé, achetée chez Steph Simon. « Et dire que j'ai commencé à collectionner, en achetant un lutrin du XVIᵉ siècle… puis une tête de Madame Greffulhe… Maintenant j'ai l'œil », dit-il.

« Votre nom est bénéfique. Ce sont les deux premières lettres de l'alphabet », lui avait dit Arletty. Il rit tout seul en se définissant comme un « débutant ». Son idéal ?

« Une tomate et des olives et je suis heureux. Sans penser aux collections et aux chiffons. L'argent, ça sert à avoir des bons médecins pour se soigner. J'habille leurs femmes, je les bichonne. »

Carla Sozzani se souvient du temps où l'on faisait la vaisselle dans la salle de bains. Si proche, si lointain. « Azzedine ? Il fait la cuisine. Ses achats chez le boucher. Son meilleur moment c'est quand il est seul, avec son écran géant, ses toiles. » Cette ancienne rédactrice de mode de *Vogue Italie*, qui a créé Corso Como, à Milan, puis à Séoul et Shanghai, n'a qu'un mot pour le définir : « obsession ». « Je me souviens de cette veste qu'il n'arrêtait pas de faire et de défaire, d'ajuster. C'était une façon de se perdre, comme Pénélope. De tout retravailler en lui-même. A cette époque, la presse le délaissait un peu, puisqu'il faisait des collections hors calendrier. Ce fut sans doute la période la plus difficile. Mais sans ce dialogue intérieur, l'explosion créative qui a suivi n'aurait pu avoir lieu… »

En cet été 2013, le musée des Arts décoratifs présente deux expositions, l'une consacrée à la mécanique des dessous, l'autre, aux frères Bouroullec. Quoi de commun entre la mise en scène de ces corps de fer découpé, ces buscs de corne d'une part, et d'autre part cet espace organiquement agencé de claustras baptisés « Clouds », « Algues » ? D'un côté le monde de la contrainte, de l'autre celui d'un imaginaire de formes industrielles, sièges au dossier de résille technologique, lit clos, « Textile Field » sur lequel on peut s'allonger, rêver, pieds nus… Azzedine Alaïa est le passager de ces deux mondes, il est la mémoire des armatures, des paniers articulés et des corps à baleines qu'il condense en un jeu de liens, de cerceaux invisibles, de volumes qui font de chaque femme habillée par lui, une Scarlett, une Belle Otero, une Réjane ou une Liane de

Pougy en puissance. De l'autre, il est le seul couturier de notre temps à acquérir d'une manière soutenue le design de son époque, ajoutant à la liste des Prouvé et des Chareau celle des Pierre Charpin, Bouroullec, Martin Szekely, Marc Newson, avec lesquels il travaille. Dans une pièce attenante à sa chambre, dorment dans des cartons deux costumes créés par Matisse pour *Le Chant du rossignol* (Massine, 1920).

Si Tunis, sa ville natale, est la cité des neuf vies, il semble en avoir connu plus encore. Miles Davis lui a créé une musique pour un défilé. « Je dois avoir la cassette quelque part… » Il a habillé Claudette Colbert et Greta Garbo, à laquelle il faisait des pantalons et des pardessus d'homme, dans l'esprit de ceux qu'elle commandait chez Creed. A Paris, Garbo habitait chez Cécile de Rothschild, qui la lui présenta : « Mademoiselle Cécile, ce n'est pas la peine », lui répondit-il. Ce qu'il remarqua d'abord, c'est son regard.

Et puis les longues manches de sa chemise, « car elle voulait cacher ses mains ».

Je ne peux m'empêcher de penser, en voyant Carla Sozzani, cette belle amie aux cheveux d'or, dont le visage au front haut, au teint diaphane est celui d'un ange de Fra Angelico ou d'une madone de Lippi, à l'influence que ces femmes sans talon exercent sur lui. « C'est la femme la plus intéressante d'Italie », dit-il. Sur l'échiquier Alaïa, les chemises blanches, cabans de drap, pantalons droits, cet art de l'uniforme, militaire ou ecclésiastique, donnent à ses vêtements la magistrale austérité que certains espaces honorent.

Nous étions en décembre 1997. Quelques amis avaient fait le voyage. Il faisait froid cet hiver-là à Groningen, encore plus peut-être que dans la chanson de Barbara, qui parlait il est vrai de Göttingen, des matins blêmes et de Verlaine... Azzedine Alaïa avait repassé des robes toute la nuit. Je me souviens de lui, agenouillé aux pieds d'une géante, la robe drapeau bleu blanc rouge créée en 1989 pour Jessye Norman, qui avait chanté *La Marseillaise* du Bicentenaire, place de la Concorde. Au ministère de la Culture, les Lang avaient reçu des lettres de haine et d'insultes, comment, une Noire dans nos couleurs ? La robe trônait là, majestueuse, à l'entrée de l'exposition, la plus belle sans doute jamais consacrée au couturier. Il y avait eu New York, avec les modèles placés sur plus de cinquante mètres de long, devant les dernières toiles de Warhol, d'après la Cène de Léonard de Vinci. Et puis le CAPC de Bordeaux en 1985, grâce à Jean-Louis Froment, celui dont il dit : « Il m'a fait découvrir l'art contemporain. » Et plus tard, la Biennale de l'art et de la mode de Florence en 1996. Mais c'était bien la première fois qu'un musée lui offrait une telle place : deux mille cinq cents mètres carrés au cœur d'un paquebot surgi du brouillard comme dans un mirage. Une boîte dessinée par Alessandro Mendini, pour abriter ces sirènes dont il affirmait : « Elles sont toutes là, les femmes du peuple et les femmes du monde. Chacune dit à l'autre : "Ma fille, j'ai quelque chose que tu n'as pas." » Dans la salle africaine, les robes au bustier de coquillages ou aux franges de corde, et les totems peints de Basquiat se faisaient écho. Entre compressions de César et nu sculpté de Picasso, les robes étaient suspendues dans l'espace si dépouillé qu'il suggérait l'asphalte et le désert, l'infini bleu de la mer. Ce fut un choc. Pareil à celui que j'éprouvai vingt ans exactement plus tard à Düsseldorf, une histoire de contours et de rythmes, des voix s'élevaient, surgies de ces robes de velours au plastron découpé comme un moucharabieh, pour s'anéantir sous le soleil absolu d'un après-midi crayonné de blanc.

Musique des lignes, spirales d'argent, porteuses d'eau et vestales de la nuit des temps, mais toutes neuves, devant nous. Les mini-crinolines de broderie anglaise et les chapeaux en singe avaient disparu, autant que les robes créées d'après les *Tati Paintings* de Schnabel. L'ombre et la lumière se tutoyaient dans la paix bientôt remuée par les serpents et les pythons, voyage au bout du corps, de toutes ses inclinations, la naissance d'un bras, la chute d'un rein, la ciselure extrême d'un dos, apothéose d'une ligne se passant de toute anecdote pour aller à l'essence du désir. On était loin des années quatre-vingt, de cette exaspération de formes déclinées sur le registre des Lady Paname en bustier guêpière lacé, des maillots gaines et des crâneuses en béret. Les œuvres d'art avaient disparu. La grammaire était devenue syntaxe. Toutes les références cinéphiles se fondaient, emportées par cette vague céleste, le style. Dans ce grand Tout réuni, chaque robe m'apparut comme la sœur, la cousine de l'autre, individualités d'autant plus remarquables qu'elles n'avaient pas été broyées par les flashes, les campagnes de publicité, la surenchère d'images. Azzedine Alaïa choisit les magazines auxquels il prête ses vêtements. Nombre d'entre eux me parurent chastes d'érotisme, éclatants de cette lumière qui les traversait comme pour la première fois. Pas de chronologie, chaque thème se déployait dans l'immensité d'une histoire à la fois familière et neuve. Minarets de velours, portiques de porphyre en coton, coupole côtelée de Jamaa Ez Zitouna, robes sources, arbres de vie, vastes cités imaginaires que n'auraient reniées ni Tertullien, ni les princes hafsides. La Grèce antique se retrouvait à converser avec la Tunisie husainide, les Turcs de Kairouan avec Hannibal. En elles, les villes retrouvaient leur noble posture, de Carthage à Palerme, cités de conquêtes et d'honneur. Des attitudes dignes de suggérer les décors que prolongeait leur coupe. On avait envie d'habiter ces robes aux allures de demeures seigneuriales, elles avaient été bâties pour des souveraines, et l'air qui soufflait à l'intérieur de chacune d'elle était celui d'un temple, odéon de soie, amphithéâtre de cuir, arcs de triomphe en apesanteur. Le temps avait détaché les années quatre-vingt de leur socle, ce qui s'offrait là devant nos yeux, c'était un instant pur, une éternité en marche, la beauté, dans ce qu'elle peut avoir d'irréparable et de définitif.

Anatomie du temps

Je me suis mariée, enceinte (de huit mois…), dans un ensemble Azzedine Alaïa. Une tunique de maille rouge harissa et un pantalon assorti, dans lequel il avait eu la délicatesse de faire coudre un biais de satin, « pour que ça ne pique pas le ventre ». Ces attentions réservées font partie d'un art de vivre, de sentir, d'aimer. Azzedine Alaïa vit et travaille comme il respire. Si seulement j'arrivais à écrire comme il fait ses robes. Chaque soir, je prépare la toile sur laquelle je passerai mes fils, repiquerai mes bords, détendrai au fer les paragraphes qui grignent. Il faudra reprendre des phrases cousues trop lâches, éviter les mots qui boulochent, ne pas perdre la sensation première, même s'il faut des heures et des jours pour la retrouver, comme on courbe le pli d'un revers en lui donnant sa direction « naturelle ». Au XVIIIe ne qualifiait-on pas les vestes féminines de « justes » ? Cette quête de la perfection, Azzedine Alaïa l'a souvent éprouvée à ses dépens, attentif à « retrouver » le corps. Je n'oublierai jamais ce jour où il m'a offert cette chemise blanche. De ses mains sur ma taille, comme une ceinture imaginaire, pour reprendre le mouvement. C'est comme si de l'intérieur, il l'avait fait respirer.

Ayant travaillé dès 1979 le jersey Lycra (le fameux stretch), il n'a jamais rompu le fil d'une histoire dont il est à sa manière le gardien tutélaire, mais jamais nostalgique. S'il a commencé à collectionner des vête-ments, c'est après avoir vu des femmes qui les découpaient pour en faire d'autres robes. Des modèles signés Dior, ou Balenciaga. C'est ainsi qu'en 1968, alors que l'obsession est de tout changer, de tout oublier, il acquiert sa première pièce, une robe de Balenciaga datée de 1955. Depuis ce jour, il ne cesse de décortiquer, de comprendre, de reprendre, guidé par cette quête insatiable du beau. Il est le dernier représentant d'une histoire, et l'affranchi absolu, refusant de se plier au calendrier de la mode, à la multiplication des collections : « On vend quand c'est prêt. » Malgré les plus de deux millions d'entrées disponibles sous son nom sur Google, il demeure inclassable : « Hors codes, hors système, hors normes… Azzedine Alaïa, le créateur le plus discret au monde, est hors tout. Sauf hors sujet. Depuis trois décennies, il cultive son goût de la couture sculpture, imperméable au flux changeant des tendances et à la valse des créateurs vedettes. Le site Internet de la marque est encore en construction, et il est inutile de la chercher sur les réseaux sociaux : Alaïa fait bande à part.[8] »

Dans sa solitude, il est pourtant celui qui

demeure le plus près de ses clientes. Ces femmes, je les vois disparaître dans la vaste cabine d'essayage, s'admirer devant ce gigantesque miroir au cadre baroque. Un véritable sérail, aux portants lestés d'autres robes, comme des tentations à l'infini. Il est là, toujours, son portrait par Schnabel en face d'un mur réfléchissant panoramique. On dirait que ses prunelles les scrutent, enfouies dans ses robes moucharabieh qui permettent de voir sans être vu. Quand elles sortent de la cabine, les femmes sont dans un état particulier. Au bord de. Dressées sur des talons, elles ne peuvent pas faire autrement. Sans soutien-gorge parce que tout se tient. Etirées et belles de cette force nouvelle qui les traverse, les protège, même si l'armure est plus fine qu'un papier à cigarette. Aussi étroite que ce fourreau dans lequel je glisse ma plume, faute d'y entrer.

« J'avais une robe Alaïa avec un pan drapé et une ceinture en cuir vernis. Tu n'imaginais pas combien c'était sexy. Austère devant et décolletée derrière, elle t'affinait le corps à merveille. Mon idiote de fille l'a laissée pourrir. » Avec lui, les souvenirs ne sont jamais le reflet passé d'une existence, ils en conservent, comme ses vêtements, la tension, l'énergie intacte du désir, d'un geste. Je repense soudain à cette image de Richard Avedon, et Stephanie Seymour, qui remonte d'une main sa robe, laissant entrevoir ce triangle de poils noirs. Plus de trente ans après, la scène a gardé la puissance érotique dont l'époque, elle, s'est totalement délestée. Ce samedi midi, alors que j'arrive chez lui à 14 heures, il me demande si j'ai faim, et tranche pour nous un filet de bœuf d'un rouge intense, qu'il fait frire dans une grande poêle de fonte noire. Le soleil tape au-dessus de la verrière. Azzedine sort une petite boîte en fer-blanc, où il range la télécommande du store. Avec lui, même la technologie a quelque chose d'humainement artisanal. Dans sa manière de l'ouvrir, de la refermer, cette petite boîte en fer-blanc prend soudain une dimension particulière. C'est peut-être dans une boîte comme celle-ci qu'il rangeait tous ses photomatons disparus. Ses trésors. Ces sourires qu'il a prolongés en gestes. L'ombre nous protège enfin, la conversation roule. Azzedine Alaïa dit qu'il croit en tous les dieux, quand l'un n'est pas libre, l'un des deux autres est forcément disponible. Mahomet et I… n'étant pas représentés, il se tourne plus facilement vers la Vierge Marie, « elle m'a sauvé, elle est si jolie ».

Chaque déjeuner offre son lot de saynètes. Azzedine à Sidi Bou Saïd qui explique à son gardien qu'il ne sait pas nager. L'autre revient le lendemain, avec une bouée en forme de canard. Azzedine et Pipelette au Bon Marché, pour choisir un cadeau de mariage à la fille de la directrice de la boutique. Azzedine s'imitant, prenant son Smartphone comme si c'était un combiné avec fil, à l'ancienne. Azzedine qui vient aux nouvelles. « Allô, c'est Radio Le Caire. » Azzedine en salle des ventes. Ou par téléphone, faisant monter des enchères sur une robe dont il sait clairement qu'une grande maison la convoite, juste pour taquiner son monde. Azzedine Alaïa en cure d'amaigrissement. « Là, elle me dit, vous devez faire du vélo. Au bout de cinq minutes, je lui réponds, madame, je n'ai jamais fait de sport de ma vie... » Azzedine Alaïa se fait comprendre partout où il se trouve. A une masseuse japonaise qui appuyait un peu trop fort, il se souvient avoir hurlé « Medium ! » puis « Small, small ! » C'est ce qui s'appelle avoir le métier dans la peau.

Le regard qu'Azzedine porte sur la chair est aussi intransigeant que détaché de tout complexe. Les défauts des clientes « bijoutées aux as » lui ont appris le sens de la perfection. Rectifier une épaule penchée, rétablir une ligne de hanche ont longtemps fait partie d'un quotidien distrait par quelques escapades, à commencer par le Crazy Horse, à l'époque de Capsula Popo, Miko Miku, Rita Cadillac, Lova Moor. Les filles étaient pesées, quand l'une grossissait, c'était une amende. Azzedine Alaïa était l'un des rares à pouvoir entrer dans les loges des danseuses : « Je coupais des triangles, des strings matelassés, trempés dans de l'eau puis piqués à la machine pour qu'ils deviennent aussi durs que des coques[9]... »

On ne devrait connaître les gens que « disponibles, aux heures pâles de la nuit », chante Léo Ferré. Le temps Azzedine Alaïa ne se fractionne pas, il dure, il enveloppe, c'est le temps de l'Orient, de l'hospitalité derrière les murs, et c'est le temps de l'extrême nord, là où la terre perd plus d'énergie qu'elle n'en reçoit du soleil, un long jour perpétuel interrompu par les

ténèbres de l'hiver, cette traversée en soli-
taire, quelque part entre 1992 et 1998,
lorsque, l'année où il perd sa sœur Hafida,
le rocher de sa vie, emportée en quelques
mois par un cancer du pancréas, puis son
chien Patapouf, il affronte les saisons et les
jours, avec la détermination d'un explora-
teur bien décidé à conquérir le Pôle, tel
Jean-Louis Etienne, débarqué de l'avion, par
– 47 degrés : « Tant que mon ombre est
devant moi, donc orientée vers le nord, je
suis sur la bonne voie. »

« En Amérique du Nord, tout est électrique », disait Silvana, dans *Riz amer*…
L'Amérique l'avait élu en lui offrant en 1985
l'intégrale des vitrines de Bergdorf Goodman
à New York, assorti d'un méga-show de
cinquante-deux mannequins ; « just go boom
boom », leur soufflait Jean-Paul Goude,
grand scénographe de cet événement aux
panneaux vidéo serpentés de calligraphies
arabes. De Barneys (New York) à Maxfield

(Los Angeles), les Américains resteront les plus fidèles clients, malgré la parution d'un virulent article du *Women's Wear Daily*, « The Rise and Fall of Azzedine Alaïa ». Suivra la brouille avec Anna Wintour, papesse du *Vogue* américain. Bien des *frenchies* ont connu des déboires avec le Nouveau Monde, à commencer par Christian Dior, dont les longueurs New Look lui valurent la foudre de certaines Américaines. A Chicago, il fut accueilli par des « dames mi-suffragettes, mi-femmes de ménage », brandissant de longues perches munies de panonceaux incendiaires. On y lisait : « A bas le New Look ! Brûlez Monsieur Dior ! Christian Dior go home ![10] » Ce furent peut-être les mêmes « ménades en furie », peut-être d'autres, qui accusèrent Roger Vivier, l'inventeur du talon aiguille, de déchirer leurs tapis. Yves Saint Laurent, avec ses « see through blouses » interdites de parution, puis avec le parfum Opium, fit scandale auprès des Chinois de Manhattan. Azzedine Alaïa a toujours refusé de jouer le *big game.* De devenir une machine à produire. Il a rejeté en bloc le système des *previews* en pagaille sollicitées par un marché qui prend et qui jette et dont il avait déjà pressenti les failles : « Ils me couvrent de fleurs, viennent me rendre visite à Paris en première classe, et discutent un billet de seconde pour mon assistant. Ils ont dit que le défilé ne se fera pas, j'ai décidé de le faire seul, avec un découvert », tempêtait-il en 1985. Cette année-là, la douane confisquera dix-neuf loutres. Ce qui n'empêchera pas les invités du Palladium – au premier rang, les yeux médusés d'Andy Warhol aux pieds d'Iman – d'applaudir cet Orient félin, proposé par le maître. Fuseaux, basques courtes, maille seconde peau. L'instinct Alaïa domine tout. Commentaire de Leïla : « Azzedine est très indépendant. Rien ne peut entraver sa volonté. En Amérique, on vous achète. Il n'a jamais voulu dépendre de personne. »

En 1991, Bettina Graziani, invitée au mariage de Liz Taylor dans la propriété de Michael Jackson, en Californie, se fait littéralement mitrailler par les photographes : elle porte le fameux sac « Tati » créé par Azzedine Alaïa pour le magasin populaire parisien. Une reconnaissance qu'il n'exploitera jamais de manière commerciale.

En mai 2013, il s'est rendu aux Etats-Unis pour la soirée de première des *Noces de Figaro* scénographiée par Jean Nouvel, et dont il avait réalisé les costumes : « Impossible de marcher. C'est la voiture, tout le temps. » Le Château Marmont, repaire de célébrités de la mode et du cinéma, il l'a trouvé « vieillot ».

Des trous noirs, il fait des promesses de recommencement. Passant des années extrêmes qui l'avaient consacré à une

recherche d'équilibre et de proportions irré-
ductibles aux canons de sa propre histoire.
C'est comme s'il muait en permanence de
l'intérieur, aussi célèbre qu'insaisissable,
guidé par ces tissus qui ont fait les mystères
de son enfance, ces mousselines, ces voiles
dont la technique dite du « flou » équivaut
à maîtriser le mouvement sans l'étreindre.
1979, l'année de l'ouverture de sa maison,
coïncide avec une victoire. Le 31 décembre,
la loi Veil est adoptée. Nouvelle étape dans
la vie des femmes, ces amazones qu'une nouvelle génération de couturiers, de Thierry
Mugler à Claude Montana, fait triompher,
avec leurs tailleurs sanglés, leur nouveau
corps carapace, qui fait d'elles les super
héroïnes du Gay Power.

L'âge d'or durera un peu moins d'une
décennie… A un moment, quelque chose
bascule, l'économie détraquée fait éclater la
bulle, l'autorité entre en disgrâce et certains
défilés ont désormais lieu en sous-sol, dans

la pénombre du métropolitain. Elles vont se négliger, lui déplaire. L'esthétique grunge arrive en tête, et les *power women* tomberont de leur piédestal, les bouches rouges qui parlaient trop s'éclipsent, quand la vague *nude* et puritaine venue d'Amérique reboutonne les chemises blanches jusqu'au col, ne rêve que de *less is more*. L'heure est aux extrêmes : *trophy women* fluo contre romantisme noir. Versace s'offre des top models à prix d'or. C'est dans les cliniques spécialisées qu'on s'achète désormais un nouveau corps. Les couturiers perdent en influence ce qu'ils gagnent en royalties, à coups d'images publicitaires, de catalogues XL et de tee-shirts logotypés... Sur les podiums, la maigreur s'affiche comme un trophée. Les nouveaux mannequins, Kate Moss en tête, chasseront les idoles des années quatre-vingt des pages de mode, reléguées, riches et arrondies, aux rubriques « people ».

Les premiers manteaux de cuir perforé d'œillets, les caleçons devenus icônes, le « moulant évident » auquel *Libération* consacrait une page entière, en mars 1991, laisseront place à d'autres envies, d'autres voyages, d'autres promesses, d'autres possibilités... Pour Azzedine Alaïa, le couperet aurait pu tomber. Sa force sera de croire, encore et toujours : « A mesure que la qualité du prêt-à-porter s'est améliorée, la couture s'est enfoncée dans de mauvais choix de proportions, de matières et de formes. L'élégance, c'est souvent la simplicité, le luxe n'a jamais été synonyme de choc. La broderie couture sur un tailleur doit avoir un sens. La couture ne devrait pas mourir, mais ce sont les couturiers qui vont la tuer[11]. »

Certains vont continuer, comme Thierry Mugler, avant de prendre son corps comme le terrain de ses expériences passées, de passer de la mode à la scène où il sublimera sa vision de l'hyperféminité, dans des tenues de dominatrices. C'est à lui qu'Azzedine Alaïa avait offert ses services en 1979, avec des smokings au tombé sec et parfait. Mais cette nervosité de la coupe, qu'on retrouvait encore chez Claude Montana, ou chez Thierry Mugler, avec ses combi bustiers et ses « pulls bulles à mancherons en peau de taureau miel », s'effacera, anéantie sous les retours à l'Histoire, les évocations nostalgiques qui feront de Paris un nouveau Venise, une ville musée, plutôt qu'une bouillonnante métropole. Au milieu des années quatre-vingt-dix, la haute couture va se laisser ensevelir sous sa propre surcharge d'or, de paillettes, qui la condamneront à n'être plus que le reflet costumé de sa propre gloire. Azzedine Alaïa va s'obstiner à défendre son métier : « faire un corps ».

Alors, le voilà qui va chercher, encore et toujours, trouvant dans les larmes de sa propre histoire le mouvement d'une autre vie. Sa sœur, son double, « un ange sur

terre », dit son cousin Montassar, sera toujours là, près de lui. Il faudra des années
pour que sa chambre, rue de Moussy, soit
de nouveau ouverte, puis transformée en
bureau du comptable. En juillet 1992,
Arletty, la fleur des faubourgs devenue qua-
siment aveugle, s'éteint. Trois ans plus tard,
Michel Cressole est emporté par le sida.
Dans la lignée d'un Lucien François, Michel
Cressole avait redonné à la critique de mode
ses lettres de noblesse, en l'incluant dans un
cadre bien plus large que celui de la mode,
parce qu'il écrivait également sur la littérature, le cinéma, l'art. Désormais les mots de
la mode se limiteront à des légendes, des
arrêts sur image, emportés par une frénésie
de *previews* que réclame l'Amérique. La
course bruyante à la nouveauté réduit la
mode à n'être qu'un faire-valoir : les clips,
les séries télé, les jeux concours, le star
system, tout ce que fuit l'irréductible soli-
taire dont l'obsession demeure, envers et

contre tout : habiller, embellir, ne pas travestir.

Devant sa table de travail, ses mains et ses yeux dansent comme les Ghawazies modernes, ces danseuses égyptiennes remarquées par Gérard de Nerval dans son *Voyage en Orient*. Cette existence tourbillonnante qu'il puise dans les comédies musicales avec Samia Gamal, comme *Viens saluer, C'est toi que j'aime*, trouvera son point d'orgue avec les coupes en biais de Madeleine Vionnet, les drapés tanagra en jersey Parthénon d'Alix Grès, ces robes dont on ne sait pas où elles commencent et où elles finissent, et dont il s'approprie le secret, comme un chaman, un passeur de vent. Lui ainsi surnommé « the king of curve », par Suzy Menkes, la chroniqueuse mode de l'*International Herald Tribune* : « The only one master » (2008).

Aux mères, il conseille de ne jamais oublier de porter des robes, pour qu'elles laissent de belles images à leurs enfants. La sienne est morte à « quatre-vingt-dix ans passés », celle de Carla à plus de cent ans. Il est celui qui prouve que les femmes peuvent être encore des femmes, après avoir été mères, et pas seulement des ambassadrices, des épouses ou des maîtresses. Sans lutte, sans heurt, il déplace des montagnes, abat toutes les barrières que les protocoles et les vendeuses des maisons de couture et leur « Oui Madâââme » ont élevées si haut, que nul n'y pénètre plus guère. Balenciaga, qui trouvait que l'époque n'était plus son genre, avait claqué la porte en 1968. Azzedine Alaïa prouve au quotidien qu'on peut avoir des clientes privées, continuer à faire du sur mesure, tout en développant en Italie des fils et des tissages exclusifs avec la manufacture italienne fidèle depuis les débuts. En 1982, il fit partie des premiers créateurs à accepter de signer une collection pour une grande maison de vente par correspondance...

Aujourd'hui c'est à l'intérieur du monde de ladite création qu'il est le plus copié.

Azzedine Alaïa ne s'est jamais enfermé à l'intérieur de sa propre citadelle. La *terre entière* se retrouve dans ce lieu si secret et si ouvert, une factorerie caméléon, où ont lieu des expositions (de Kuramata à Memphis en passant par les photos du World Press), des dîners donnés par des galeristes, en l'honneur d'artistes, comme Adel Abdessemed, des réveillons un peu fous, auxquels il convie lui-même par téléphone une petite centaine d'amis. Pareille à une robe qu'on porte avec des souliers plats le jour et des talons le soir, la cuisine change de lumière et d'allure en fonction des heures. Le samedi midi, on dirait le réfectoire d'un pensionnat, où le petit homme en noir prépare un repas pour quelques intimes. Le dimanche soir, elle rappelle le temps où les femmes du monde faisaient servir un dîner bistrot par des garçons aux gants blancs. A la veille des défilés de haute couture de juillet, Azzedine Alaïa, qui n'a pas présenté de collection, a ouvert le bal, en invitant Uma Thurman, Milla Jovovich, Léa Seydoux, et une trentaine d'autres invités : un « petit dîner » donné en l'honneur de Christian Lacroix, pour sa collection hommage à Schiaparelli présentée le lendemain. Ce soir-là, il y avait des maîtres d'hôtel, la table avait été nappée de blanc, le tatami de Didine supprimé, on aurait pu jouer à « cherchez l'erreur ». C'est le chef Paul Minchelli qui avait préparé les sardines fagora, les filets de bar, les haricots blancs à la boutargue. Arielle Dombasle buvait son thé couleur de champagne, en expliquant à Jonathan Newhouse *qui* était vraiment Raymond Radiguet. « Au Mexique, mon frère a cent gardes du corps. Enfin, pour lui et son entreprise. Là-bas, chacun a sa petite armée. » Le président de Condé Nast lui rétorquait « Cent, c'est énorme, moi j'en ai deux et c'est déjà beaucoup ». Un jeune intellectuel parisien s'autodéfinissait comme « un boring academic », il devait le lendemain prendre un avion pour Londres, et donner une conférence, sur « Rome, Jérusalem et Athènes dans la littérature du XIXᵉ siècle ». Diego Della Valle levait son verre. « Tutto bene ? » Ce soir-là, Azzedine accueillit les derniers invités jusqu'à 5 heures du matin. Le lendemain, il était en place, sur son tabouret, devant ses ciseaux, à houspiller les assistants, à faire des blagues en se cachant derrière des rouleaux de tissu, à couper, à tracer ses fils, avant d'organiser le déjeuner, trois services par jour pour ses employés et ses hôtes. Rien ne peut entraver son énergie de feu. Azzedine Alaïa aime la fête, pas ses simulacres.

Apparue tardivement, Naomi Campbell semblait vibrer, et c'est la lumière qui dansait en elle, dans cette robe noire frangée, découpée, idéalisant encore son corps de Vénus noire. Il l'a découverte quand elle n'avait que quinze ans. Elle a longtemps vécu chez lui. Le temps, qui a à peine élargi son dos, ne s'est jamais immiscé entre eux. Elle est là, comme au premier jour, quand dans la boutique, au bord de filer, elle aperçoit une petite paire de ballerines à rubans de gros grains, qui semble avoir appartenu à Joséphine Baker, c'est à elle. C'est elle. Elle prend. Ce soir-là, une belle Tunisienne mariée à un milliardaire avait choisi une robe couleur de rose des sables, se fondant sur sa peau ambrée. Autour de ces hommes un peu fous, légèrement ivres, elles étaient toutes en lui, toutes différentes. A l'autre bout de la table, je retrouvais son regard, complice, ses deux prunelles noires en observation permanente. Le temps Alaïa, c'est bien celui dont Franceline, qui le connaît depuis quarante ans, me dit : « Il voit en toi. Il sait qui tu es. On ne peut pas tricher. »

Il a des admirations, des coups de cœur. Sait se moquer généreusement de lui-même.

Un jour en voiture, à la sortie de la salle Drouot, Pipelette lui dit : « Vous avez vu, patron, comme ils sont moches, en face. – Arrête de draguer je te dis, conduis, on va avoir un accident. – Ils n'arrêtent pas de nous observer. – Laisse-les, avance !! » Soudain, ils se rendent compte que les deux personnes qui les fixaient n'étaient autres qu'eux-mêmes, leur reflet dans la vitre d'en face... Fous rires.

Curieusement ce sont toujours les femmes, dans l'univers des couturiers, qu'il place en tête. Derrière Alix Grès, Madeleine Vionnet, Rei Kawakubo, on retrouve Vivienne Westwood, parce que lorsqu'elle prend un corset, elle en fait quelque chose de « moderne ». Ou encore Elsa Schiaparelli, qui possédait une maison à Hammamet, en Tunisie, et dont il admire encore et toujours l'extravagante rigueur. Elle envoyait des robes à Arletty.

Son mandala pourrait bien être ce trèfle à quatre feuilles de Louise de Vilmorin, et ses

quelques mots de reconnaissance calligra-
phiés à l'intérieur de chacune d'elles : « A
mon Azzedine aimé/Grâce à qui j'apparais
belle/A mon ami, mon artiste/A celui qui me
fait croire que j'existe encore/Avec gratitude
et/Mille tendres baisers/Son amie Louise. »
Quoi de commun entre ce fils d'agriculteur
et l'inconsolable femme du monde ? La
complicité d'une rencontre dont le salon
bleu de Verrières sera l'écrin. Le premier
voulait tout apprendre. La seconde oublier
tout ce qu'elle savait des hommes. « Je
t'aimerai toujours d'amour ce soir », leur
promettait-elle. Mélodie éternelle d'une passion renouvelée, de saison en saison, de rencontres en ruptures, d'apprêts en après, de
crêpe météore en orages du cœur. Dans
la fiancée d'Antoine de Saint-Exupéry,
l'épouse de Henry Leigh Hunt, la maîtresse
de Malraux, ou de Duff Cooper, l'ambassa-
deur de Grande-Bretagne à Paris, A.A. a

127

surpris la fêlure invisible. Louise brode des holorimes.

> *Etonnamment monotone et lasse*
> *Est ton âme en mon automne, hélas !*

Ainsi Azzedine Alaïa continue de tisser en secret l'histoire de toutes les Madame de dont il aura été l'habilleur en chef, avec leurs robes faites pour porter de vrais diamants qu'elles feindront peut-être d'avoir perdus un soir de bal. Il se vit dans la passion qu'il éprouve à voir et à revoir *Hôtel du Nord*, comme lorsqu'il déambulait dans les rues de Passy avec Leïla. Il reste toujours fasciné par Arletty, dont la robe Zip – une trouvaille de Lou Bonin, acteur, assistant réalisateur et costumier du film sous le nom de Lou Tchi-moukof – a été le point de départ d'une complicité, avant d'être celui d'un succès mondial… « Il m'avait fait une robe inspirée de la mienne dans *Hôtel du Nord*, a raconté

Arletty. C'était facile, le zip, pour moi, j'étais plate devant et derrière. Peut-être bien roulée, mais dans la platitude ! » Arletty avait fait ses débuts comme mannequin chez Paul Poiret, sous le nom d'Arlette. Elle connaissait sur le bout des doigts son histoire de la mode, lui racontait comment Madame Radzimir avait été la première à déshabiller les femmes au Bataclan. « Sacha Guitry l'appelait Ras-le-mimi », se souvient Azzedine Alaïa. De Poiret, Arletty disait : « Il m'a habillée dans mes premières revues. C'était un vrai génie ; il a inventé la robe entravée, et grâce à lui, les femmes ont foutu en l'air leur corset. Alaïa a des choses en commun avec lui : pour moi, c'est l'aristo de la générosité[12]. »

« Le travail ne peut être fait que par des femmes, jupons relevés, pieds dans l'eau, disait la voix off de *Riz amer*. Comme elles sont les seules à savoir bercer les nouveau-nés. » Azzedine Alaïa a été particulièrement choyé par une grand-mère qui, plus encore qu'une mère, ne juge rien, et pardonne tout. Il a en lui cette force d'amour dont il extrait chaque jour une substance que le travail régénère encore. On dit les « valeurs humaines ». C'est peut-être aussi celles qui poussent les êtres, d'où qu'ils naissent, à se sentir soulevés par une force inouïe, non pas liée à l'argent ou à la puissance. Mais à ce qu'ils ont vu, entendu, vécu, décidé d'honorer : « Vous serez toujours des Bédouins, vous ne connaîtrez jamais le bon goût », lança un jour sur un ton « collectif » l'élégante Habiba Menchari à sa fille qui venait de perdre le carré Hermès qu'elle lui avait offert. Elle était si élégante dans ses tailleurs gansés de cuir, et ses bibis à voilette noir. A sa mort, Leïla décida de se présenter chez Hermès, « pour me rapprocher d'elle », dit-elle. Au 24 faubourg, on lui dit « Vous êtes une rêveuse. Faites une calèche de rêve... » C'est ainsi qu'elle est devenue la directrice artistique en charge des vitrines de la prestigieuse maison.

Collectionneur morphologiste, A.A. n'accumule rien d'autre que l'énergie de construire, tailler, modeler, se raconter totalement dans ce qu'il fait. Sans padding ni prothèse pour « tenir » le corps, parce que cette leçon de maintien se cache quelque part, invisible et présente, dans le creux surpiqué d'une cambrure, l'arrondi d'une épaule, la pointe d'un décolleté. Il est le courant électrique qui passe dans la voix de Tina Turner quand elle chante *Private Dancer*. Elle est devenue son amie après lui avoir acheté une robe dans la boutique Alaïa de Rodeo Drive, à Los Angeles. Il l'a habillée d'or sur scène. Ses fourreaux sont des cathédrales de nerfs. Nuées ardentes. Dorsales océaniques. Traçant le parcours hors normes de celui qui s'est construit avec les femmes, pour les femmes, d'Arletty et de Louise de Vilmorin à toutes celles, anonymes ou amies, qui avouent, comme la galeriste Clémence Krzentowski : « Avec les vêtements Alaïa, j'ai toujours l'impression de me tenir, de marcher, de bouger différemment. »

Je me souviens de cette petite fille russe qui n'avait pas faim. Elle avait offert un carnet Hermès au couturier, sur la première page elle avait écrit, elle qui ne parlait pas français, « pour que tu dessines de jolies robes ». On ne savait plus quoi lui apporter. Du pain, du beurre frais, du thé. Je les revois, elle et lui, quelques minutes plus tard, dans la cabine d'essayage, lui ajustant la robe haute couture que la mère avait commandée pour sa fille. Un bal à Kiev ? Une party à Moscou ? Ils ne parlaient pas, elle se tenait toute droite et chétive devant le miroir, il avaient la même taille, et peut-être soixante-cinq ans d'écart, c'était irréel. Le garde du corps attendait à l'entrée. Azzedine Alaïa se souvient de la nurse en blouse blanche, aux gants blancs, à laquelle il disait « tu sais, les microbes, ce n'est pas forcément mauvais pour les enfants… » De Guilou plongé dans le noir, qui hurlait, dans ce grand appartement du 95 avenue Victor-Hugo, où les domestiques dormaient, près des enfants. De cette expérience, il a retenu des conseils de vie : « Quand ils saignent du nez, un coton tamponné de vinaigre. » « Jamais de sel avant que l'eau ne boue, ça fait noircir les casseroles. » Quand il jouait avec les enfants, les voisins se plaignaient du bruit. Il est resté celui que les enfants considèrent comme leur pair : « Parce qu'ils me voient de la même taille, ils pensent que j'ai le même âge qu'eux. » Seul un enfant a droit de cité auprès de lui quand il travaille, la télé panoramique diffusant National Geographic, la chaîne Animaux, des documentaires où l'on parle de lions blancs et de tigres extraordinaires. S'il y a un mot qu'il voudrait rayer du dictionnaire, c'est « vieux » : « Celui-là, il est monstrueux. »

Galliera

La cour est envahie de terre, de bennes, d'hommes au travail. Des sacs énormes de gravats. Des échelles. Et l'espace, tendu lui-même par l'opération chirurgicale qu'il semble avoir subi, cloisons abattues, fresques retrouvées, murs peints à l'identique, de ce rouge Napoléon III paré de boiseries au noir. Hier bossus, les murs semblent avoir relevé la tête, de la chapelle Est au salon carré réservé aux icônes : la robe « à claires-voies » ainsi rebaptisée par Olivier Saillard, la robe hommage à Grès, la robe Grace Jones… J'observe les gros sacs de gravats, dans le regard de ces hommes aux prunelles noires, terrassiers, maçons, peintres, il y a le sien, celui qui a déjà envoûté l'espace, lui a rendu sa gloire. Ces ouvriers si présents, et si anonymes, creusent, coulent du béton, coffrent et décoffrent, pareils à ceux que les bourgeois du Belvédère, à Tunis, employaient le jour, et voyaient disparaître « on ne sait où » le soir. Ils ignorent peut-être celui pour lequel, indirectement, ils embellissent ce lieu, le bichonnent, comme Alaïa refait ses corps dans la nuit.

L'administration est provisoirement installée dans ces Algeco, ensemble de constructions modulaires, au plancher d'aggloméré hydrofuge. Bientôt les ouvriers auront disparu, et bientôt elles seront là, cambrées dans la soif d'un mambo, d'un mérengué à tomber. Une voix surgie de l'intérieur leur dira : « Mes filles, soyez les plus belles. » Que Dieu bénisse ces femmes qu'un jour, un petit garçon a décidé de magnifier pour l'éternité. D'étirer leur présence, pour qu'elles se déplacent, comme des ombres debout, dressées, suprêmes… Mes filles… C'est ainsi que celles qui n'ont pas d'enfant apostrophent leurs élues. Qu'il s'agisse de Madame Anaïs, dans *Belle de Jour*, de la prieure des *Dialogues des carmélites*, les dominatrices se découvrent une fibre maternelle dans l'exercice d'une fonction non répertoriée par l'administration. Les unes s'adressent aux hommes, les autres à Dieu. Les couturiers aux deux. Ils ont en commun ce trésor tel qu'aucun carton d'archives ne pourra le contenir : cette vie, Azzedine Alaïa l'a, plus que tout autre, modélisée. Pour *Les Noces de Figaro*, il a décidé que Suzanne et Figaro s'habilleraient sur scène. Il préfère la danse à l'opéra, parce qu'il y a plus d'acrobaties, de mouvement, rien n'est écrit, tout se joue dans l'instinct et l'instant. Chez lui, avec lui, les êtres et les robes se confondent, unis par cette présence absolue : « J'ai de plus en plus d'admiration pour lui. Tout son vécu lui sert. Je n'ai jamais pu boucler la boucle. Il est sans fin », dit de lui Leïla Menchari.

Il suffit d'un mot, Tunis, tel un morceau de sucre mouillé d'eau de fleur d'oranger, pour que la conversation libère le parfum d'une enfance en Méditerranée. Leïla est à Hammamet, dans la villa Dar Henson, splendeur orientaliste construite par deux Anglais qui lui léguèrent ce paradis d'agaves et d'eucalyptus. « Je rentre du parc. Il y a trente paons. Je suis leur invitée. » La voix, l'Orient, le lointain familier. En 2013, Azzedine Alaïa signe les costumes des *Nuits*, un ballet d'Angelin Preljocaj, expression virtuose des lignes et de la lumière des terrasses de Sidi Bou Saïd. Robes rouges cloutées d'argent, atours immaculés en piqué de coton de la scène d'ouverture, et « glacés », le soir de la première. Pendant la répétition, le rapport fusionnel que le chorégraphe entretient avec ses danseurs me rappelle celui de la maison Alaïa. « Rejaillis, enroule, pique... » La chair se profile en lignes et en courbes, les corps habillés prennent la lumière, tendus par l'énergie d'une robe, d'un caleçon, qui redessinent les gestes. Le vêtement ne se superpose pas, il sublime les contours de chaque porté, dégage les bras, souligne la naissance des hanches, comme un trait d'eye-liner. Pour la première fois, Azzedine Alaïa habille des hommes, la chemise blanche qu'ils enlèvent sur scène, comme ces shorts tissés dans les mêmes fils que ceux des tapis, évoquent des images millénaires et animées.

L'étoffe d'une passion

Je l'ai vu. Comme une onde grise et noire se déplaçant dans ce vaste loft, sous cette lumière d'orage. Comme une boule de colère faite homme. Jaillissant du fond de lui-même, au milieu des robes, des chiens, du silence pétri de honte et d'angoisse… Il captait tout. De partout. Dans les ateliers, l'ascenseur, le studio où il s'enfouissait derrière ses robes, devant son écran de télévision géant. Son refuge, de plus en plus étroit, où l'on circulait à peine. Une pièce immense envahie de cartons, de Stockman, d'échantillons, de sacs, de vêtements anciens, nouveaux, en gestation. Des toiles, des bâtis surfilés de blanc. Cette maille alvéolée, cloquée, comme un exercice décliné à l'infini…

Des milliers de femmes semblaient régner dans ce capharnaüm dressing atelier, l'échine tendue, les courbes saillantes, la taille haute et ferme. Dans la cuisine, il m'avait parlé de Garbo, puis des lions blancs. Naomi était là devant lui, comme celle qu'il avait sculptée. Il lui parlait en français, elle répondait en anglais, et disait « Papa ». Il l'appelait « la bestiole ». « Mets-lui ça au début, pour la mettre en marche. » Il m'avait tendu une robe un peu baby doll, avec des pois. Il était allé chercher des ceintures, une robe comme une ondée de mousseline noire. Ce jour-là, des portes secrètes s'étaient ouvertes, encore et toujours, des robes, des cartons. Les perles d'or de Tina Turner. La robe bleu blanc rouge de Jessye Norman. Et dans l'encadrement d'une fenêtre, une apparition, une mariée, comme un souffle blanc, la lumière de cette journée de cendres. Il était dans la déchirure de cette robe, cette momie de maille crème, faite sur le corps de Naomi, quand elle avait seize ans. Plusieurs décennies avaient passé, en un courant d'air. Il était le seul à pouvoir la faire rentrer dans ce modèle, déjà mannequiné sur un corps de Plexi pour l'exposition prévue à Galliera. J'ai entendu ce crac devant le miroir. J'ai vu jaillir ses yeux, deux volcans de lave. Ce jour-là, l'œil lui avait volé sa robe, son visage, son histoire, l'étoffe de sa vie. Et la colère était venue, là, maintenant, toute répandue, au milieu du désastre d'une journée trempée de tensions. Ce jour-là, les chiens tournoyaient, aussi hagards que nous. Nous étions là, comme à l'intérieur d'un palais ouvert et inaccessible, où le drame se jouait, à corps ouvert.

Dans ce monde où la peur de vieillir est plus forte que celle de mourir, Azzedine Alaïa offre une leçon universelle. Serge Lutens qui vit quasi reclus à Marrakech : faute d'être invités dans son riad, des amis se sont déguisés en indigènes... Ils les a reconnus, malgré eux. « Chez moi, il n'y a que des meurtrières. Elles ne s'ouvrent pas. Je vis à l'ombre. J'ai même peur parfois qu'elle me suive… » m'a dit récemment Serge Lutens, de passage à Paris. Dandy aux cheveux gominés dans son costume noir, il recevait les journalistes, un par un, dans une suite au Ritz. « J'ai été possédé par l'absence. » Azzedine Alaïa n'oppose aucune résistance à qui veut le voir. En se protégeant, il nous protège. Azzedine Alaïa fait partie des êtres qui vous donnent la force. Son défilé haute couture organisé en 2011 a ouvert à nouveau la voie, libérant des envies, des désirs, des possibilités nouvelles et infinies. Son antimodèle est devenu la référence absolue, loin de la foule des festivals et des tapis rouges où les stars semblent toutes coulées dans les mêmes robes, les mêmes corps, il impose sa différence. Les clientes suivent. Pour l'équipe, pas question de s'avachir un jour ou, comme il dit, de « ronronner ». « Je

vais vous apprendre à travailler à l'envers. »
C'est ainsi qu'il a fallu honorer les clients des
cinquante corners dans le monde, en ven-
dant une collection qui n'avait pas été présentée.

Epouses, maîtresses et filles d'oligarques
ou de présidents, Hécate et Astarté des ver-
nissages, divines du monde, les incondition-
nelles sont au rendez-vous. De Bâle à Venise,
de la Fiac à la Frieze, jamais on n'a vu autant
de femmes habillées en Alaïa dans les cock-
tails et les fêtes de l'art contemporain.

Les plus belles filles du monde, qui lui
offraient leur corps le temps d'un défilé, en
échange de vêtements, font partie de ses meilleures clientes. Elles sont souvent riches, très
riches. Palaces flottants, penthouse terrasse,
gardes du corps, régime sans lactose et sans
gluten, légumes bio pour le chien. Une sta-
giaire koweïtienne a travaillé quelque temps
chez lui par pure addiction : le chauffeur la
déposait chaque matin, elle commandait

pour elle et sa mère des perfectos en python, le même dans des couleurs différentes. Elle voulait que son père achète un immeuble en face. Certaines possèdent des entrepôts dans lesquels elles viennent prélever des « looks » de saisons antidatées, extraits d'ADN Alaïa, dont la formulation est si précieuse qu'aucun concentré de cellules fraîches ou de produits de comblement dont elles usent et abusent pour détendre leurs traits, ne peut rivaliser avec eux. « Armures toniques », précise *Vogue*. Carla Sozzani ne possède pas moins de cent cinquante chemises blanches du maître. Caroline Fabre collectionne ses atours dans un dressing appartement de quatre pièces. Trente ans de passion qu'elle n'a pas encore inventoriée et qu'elle a décidé de lui léguer « si un jour, il arrive quoi que ce soit ». Plusieurs milliers de vêtements se tiennent là, 80 % sont noirs, « le reste est bleu marine, rouge, blanc ». La plupart sont signés Azzedine Alaïa, Comme des Garçons,

Yohji Yamamoto. Chacun marque un moment de sa vie. Ses premiers pas à Tokyo, triomphale dans un tailleur de jean Alaïa, après dix-huit heures d'avion et une escale à Anchorage. Son premier manteau Alaïa, celui que lui offrit sa mère, à la veille de son voyage au Japon. Le diplôme de l'Essec en poche, elle avait décidé de tout plaquer. « Si tu pars, tu n'as plus de parents. » Elle partit quand même, avec ce manteau. « Au moins, tu n'auras pas froid. » Trente ans plus tard, elle a encore des frissons quand elle en parle. Alaïa, c'est une vie. C'est une passion que cette brune extrême et filiforme, bijoutée comme la Castiglione, vit dix-huit heures sur vingt-quatre, elle qui n'hésite pas à partir seule dans l'Himalaya ou à lire Nietzsche à bord d'un brise-glace, en Alaska. Un jour elle a failli mourir étouffée sous le poids d'un portant qui s'était écroulé dans son dressing. Une autre fois, c'est dans la cave d'Azzedine Alaïa – elle fait partie des rares à connaître ce dédale souterrain – qu'elle a reçu un carton sur la tête : « Tu te rends compte, il y avait une double zibeline à l'intérieur. Ça fait rêver non ? » Si la cave est un « royaume fantastique » qu'elle explore, « avec une lampe de spéléo sur la tête », Azzedine Alaïa est son mentor, son père, le monstre sacré qu'elle vouvoie toujours. S'il a connu Miró, Orson Welles, Andy Warhol, il vit au quotidien de manière pragmatique, avec un sens de plus que les autres. Lui, l'homme qui déteste « gâcher », « jeter ». « Je ne peux rien lui cacher. Il devine tout. Je préfère me faire shampouiner pour avoir dit la vérité plutôt qu'un mensonge. »

Laissant à la mode ses logos trop reconnaissables, Azzedine Alaïa demeure une griffe, un nom dont la valeur s'apprécie en pièces uniques et en séries limitées. A Paris, c'est dans un hôtel particulier de la rue de Marignan qu'il inaugure une nouvelle boutique à son nom. Cinq étages masqués depuis des mois par un panneau géant, sous la photo d'une queue-de-pie en crocodile brut : « Alaïa, ouverture prochaine ». Quand il s'y rend, dans sa BM noire, le voyage semble plus long que celui qu'il effectua pour traverser la Méditerranée. Marignan, c'est 1515. Le nom d'une bataille. Tous les enfants s'en souviennent, même lorsqu'ils ont oublié leur livre d'histoire à la maison. Azzedine Alaïa est l'enfant mémoire, celui dont le visage frictionné à l'eau, un café maure dans un gobelet de verre, est l'unique à pouvoir dire, comme Klee parlant de la couleur : « Le noir et moi sommes un. Je suis couturier. » En 2015, il lancera son premier parfum. « J'aimerais que ce soit comme une eau minérale. On ne le sentirait pas, mais on sentirait une présence. Pourtant je suis d'Afrique du Nord, je viens d'un pays méditerranéen qui aime les parfums. Mais moi, les parfums forts, je ne les aime pas du tout. J'aimerais un parfum dont on ne pourrait pas dire ce que c'est. Tu

149

arrives et tu es frais à n'importe quel moment, comme après la douche... » La quintessence d'une histoire. « Une peau neuve[13]. »

Il doit être plus de minuit dans cette cuisine où nous nous retrouvons à quatre, avec Montassar, Pipelette, et Azzedine Alaïa qui reprend encore un café. La glace à la fraise a fondu. Ce soir, au menu, c'était la « soupe de Rosa ». Blé, pois chiches, dans un bouillon d'or. Son luxe, a-t-il dit un jour, c'est d'avoir quelqu'un qui lui fasse la lecture. Alors je lui ai lu de longs extraits de ce petit livre à haute voix. J'avais le sentiment d'avoir plein de fils qui pendouillaient, que ma robe ne serait jamais prête pour lui. Je me demandais, qu'est-ce que la vérité d'un homme ? Est-elle dans ce qu'il rend visible, ou ce qu'il cache ? Ce que révèlent les journaux, des années après sa mort, ou l'intimité d'un moment hors du temps, là, devant la soupe de Rosa ? Il était là, tout entier devant moi, mais ses secrets, personne ne les lui arracherait. « Tu l'as fait parler de l'érotisme ? m'avait demandé Adel Abdessemed. Azzedine, ce que j'aime avec lui, c'est qu'il n'y a pas de mensonge. Tout est direct. C'est un coup de couteau. »

La lame peut être si tranchante que nul n'y résiste. Quand je pense à lui, je retrouve aussi Chanel parlant des autres couturiers : « Et l'autre avec son *style Velasquez* ! Vous aimez, vous, ces dames en brocart qui, une fois assises, ressemblent à de vieux fauteuils[14] ! » Il a son sens irréductible de la rigueur, comme il a l'école Dior dans les mains, cette culture de l'artifice, et la mémoire des apparitions dont Schiaparelli avait fait une légende, parce qu'au royaume des excentricités d'avant guerre, les femmes de tête affirmaient dans ses robes une appartenance à une élite, le club fantasque du goût. Les priorités demeurent. Une robe à finir. Un animal à sauver, même si une star attend. Sa vieille chatte Nora, il est allé jusqu'à la nourrir avec des seringues. Elle dormait à ses côtés, avec un masque à oxygène. Orson, le mastiff anglais, Afo le berger allemand, Pitchoune le caniche ont disparu depuis longtemps. Mais lorsque je regarde Lotte, la blanchisseuse, asperger au tuyau d'arrosage Didine, lorsque je vois la toile cirée blanche, les orchidées, le pain sur la table, je me dis que chaque jour est un recommencement. Un modèle à reproduire, avec des proportions différentes. Des nouvelles matières. Question de textures, de rencontres, d'affinités.

Rien ni personne ne pourra trahir celui qui s'est défini comme « un couturier tout court qui court tout le temps ». Azzedine Alaïa n'a pas de chauffeur. Hamdoullah (Dieu merci). C'est Montassar, son cousin acteur, qui l'accompagne partout. Il travaille avec lui depuis onze ans. « Il m'a viré trois fois. Un jour, je suis parti sans lui dire à une répétition. C'était la générale, et lui il avait sa collection. Quand je monte sur scène, je vois sept appels en absence… J'arrive rue de la Verrerie, en sens inverse, avec la police qui me suit. J'avais moins peur d'eux que de lui. » Il reprend : « Si Azzedine te dit quelque chose, il faut le faire. Azzedine, c'est une école. C'est mon père, ma mère, mon frère. C'est la famille en une seule personne. Ce qui le rend heureux ? Son kif, c'est le travail, ce sont ses amis. Et puis les animaux. » Ce soir-là, Azzedine et Montassar m'ont raccompagnée. Dans la voiture, Montassar avait mis Daft Punk. Azzedine parlait peu. En longeant les quais illuminés, il a dit : « C'est beau Paris. »

Quand je le regarde, quand je l'écoute, quand il est loin, j'entends la voix de sa grand-mère. « Monte sur les toits, regarde et imagine. »

Paris, 31 juillet 2013

Notes

1. « Deux solitaires à la recherche de la mode retrouvée », Michel Cressole, *Libération*, 13 octobre 1979.

2. « Alaïa, le petit homme qu'aimaient les femmes », Michel Cressole, *Paris Match*, décembre 1988.

3. *Libération*, *op. cit.*

4. « Université d'été, de la mode, la femme selon Azzedine Alaïa », Sylvia Jorif, *Elle*, 10 août 2012.

5. « Alaïa derrière la vitre », Virginie Mouzat, *Le Figaro*, 24 février 2004.

6. « Azzedine Alaïa : « Arletty, un chic de dactylo », interview Gérard Lefort, *Libération,* 25 et 26 juillet 1992.

7. *L'Evènement du jeudi*, mai 1985.

8. « Azzedine Alaïa fait toujours bande à part », Carine Bizet, *Le Monde,* 19 mars 2013.

9. « Le Prince Alaïa », *Madame Figaro*, 7 mars 2009.

10. *Christian Dior et moi*, Christian Dior, Amiot-Dumont, 1951.

11. « Les ourlets obsolètes du cousu main », Anne Boulay et Nicole Penicaut, *Libération*, 31 janvier 1995.

12. *Le Matin Magazine*, 10 octobre 1981.

13. « Alaïa dans la peau », Isabelle Cerboneschi, *Le Temps*, 6 mai 2009.

14. *L'irrégulière ou mon itinéraire Chanel*, Edmonde Charles-Roux, Grasset, 1974.

Remerciements

Je tiens à remercier Bruno Krief, Aline Gurdiel, Christophe Bataille, Olivier Nora, Jean-Paul Enthoven, Dominique Issermann, Karine Porret, Laurence Simon, ainsi que tous ceux qui ont permis la réalisation de ce livre : Olivier Saillard, Alexandre Samson, Jacqueline Dumaine, Nathalie Goursault, Marlène Poppi, Anne de Nesle, à l'occasion de l'exposition consacrée à Azzedine Alaïa pour la réouverture du palais Galliera, à l'automne 2013.

Toute ma reconnaissance à Carla Sozzani, Montassar Alaya, Caroline Fabre, Pipelette, Patrick Bensard, Nicolas Villodre (La

Cinémathèque de la Danse). Frédérique Lamy, Michel Guerrin (*Le Monde*), Naomi Campbell, Nathalie Zegli, Robert Ferrell, (Marilyn Agency).

TABLE

Imprimé en France
FROC02n1439030118
18333FR00003B/18/P